S0-BME-844

魅丽文化
花火工作室

征服六个你

无影有踪 / 著

广东旅游出版社
GUANGDONG TRAVEL & TOURISM PRESS
中国·广州

图书在版编目（CIP）数据

征服六个你 / 无影有踪著. — 广州 : 广东旅游出版社，2019.3
ISBN 978-7-5570-1616-6

Ⅰ. ①征… Ⅱ. ①无… Ⅲ. ①言情小说—中国—当代 Ⅳ. ①I247.5

中国版本图书馆CIP数据核字（2018）第294911号

出　版　人：刘志松
总　策　划：邹立勋
责 任 编 辑：梅哲坤

广东旅游出版社出版发行
（广东省广州市环市东路338号银政大厦西楼12楼）
邮编：510060
邮购电话：020-87348243
广东旅游出版社图书网
www.tourpress.cn
湖南凌宇纸品有限公司印刷
（长沙县黄花镇黄垅新村工业园区财富大道16号）
880毫米×1230毫米　32开
9.5印张　228千字
2019年3月第1版第1次印刷
定价：36.80元

目录

CONT

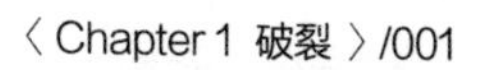

CONTENTS

• • •

Chapter 1 破裂

所有的投入和付出，

倾心交付的全世界。

在爱情消逝后，

都只会沦为一个笑话。

一个荆棘丛生，

将你伤得体无完肤的笑话。

深夜十二点。

舒雅南靠在床头，脸上敷着面膜，手里拿着手机，聚精会神地刷微博。

娱乐快线V：新晋影帝凌岩幽会神秘美女，两人搂腰私语，举止亲昵，同入酒店幽会长达六小时，神秘美女疑似偶像剧女王雯靖。

新闻配了六张图片，背景是酒店大门口，高大英俊的男人搂着穿白色风衣的女人。男人戴的黑色墨镜挡住了半张脸，依然能看出凌岩刀削斧凿般英挺的轮廓。女人蒙着白色面罩，但那双笑盈盈的眼，让人立马联想到今夏最热的仙侠剧《上古奇缘》的女一号雯靖。她在剧中就以这浅笑嫣然的模样俘获了大批粉丝。新闻里六张配图是六连拍，两人姿态亲密，情侣“既视感”扑面而来。

下面的评论炸开了锅，影帝凌岩与影后温情的CP（CP：指人物配对）粉，雯靖与上古男主角卢思俊的CP粉，各路脑残粉路人粉黑粉，掐得人仰马翻。凌岩的粉丝以战斗值爆表著称，迅猛地带起了一片血雨腥风。才一眨眼工夫，评论又多了几千条。

舒雅南看得呼吸紧促时，房门发生响动，她抬头看去。

一片幽暗中，手机屏幕的蓝光投映在舒雅南敷着面膜的脸上，推门而入的凌岩哆嗦了一下，喊道：“什么东西？！”

舒雅南侧过身按下开关，繁复绚丽的水晶吊灯齐齐亮起，室内瞬间通明透亮。

揭下面膜，扔进垃圾桶，她若无其事地下床，走到凌岩身前，环上他的脖子，亲昵地笑道：“还以为你下周才能回来，这是意外惊喜？”

凌岩一脸疲倦，推开她，语气淡淡地道：“配合公司安排，提前回来了。我先去洗澡。”

凌岩转身后，舒雅南脸上的笑容消失了。

她来到浴室外，从他衣服里拿出手机，顺利解了锁。她给予他绝对的空间和自由，以前从没查过他的手机，他对她完全不设防。

她打开他的微信，最近联系人就是雯靖……

舒雅南手指颤抖地点开。

“鄙视！回去不准伺候那个黄脸婆哦！”

“弹尽粮绝。”

“委屈！你们躺在一张床上，就算什么都不做，我都心如刀绞！”

“无奈！”

“我已经再也无法忍受这个女人了，哭泣，她还要霸占你到什么时候？！”

“到家了，不说了。”

这是屏幕可见的对话，舒雅南已经没有勇气再往上翻……一颗心在泥沼中不断下沉，她扶着桌子稳住自己的身体。

她究竟是有多信任他，才会一直以来没有丝毫怀疑。

两人聚少离多，难得在一起他没碰她，她理解他，应该是太累了。他忘了她的生日，她理解他，应该是太忙了；他跟女星传绯闻，她理解他，应该是工作需要；他答应过她的事，一件件失信，她理解他，计划不如变化……

她一直在努力做一个包容大度、贤惠体贴的女朋友，为他的种种行为找理由。她捂住眼睛塞住耳朵，不看不听不猜忌。最后，现实狠狠地抽了她一耳光，猝不及防地，凶狠又残酷。

凌岩洗完澡出来，见舒雅南靠在床头刷微博，走到她身边问道：“玩什么呢？”目光一扫，看到雯靖的微博主页。

舒雅南游移着手指，头也不抬地说：“骂奸夫淫妇呢。”

“别这么幼稚！”凌岩劈手夺过她的手机。

舒雅南抬头看他，面容变冷。

凌岩揉了揉眉心，语气无奈地道：“炒作而已，你这么疑神疑鬼，我会很累。”

“什么时候开始的？”

“信任！”凌岩加重语气，“我们之间连信任都没有了，在一起还有什么意思？”

舒雅南起身拿过凌岩的手机，翻出微信那一页，扔到他眼前：“信任？你要我怎么信任？”

凌岩脸色沉了下来：“你翻我手机？舒雅南，你以前的光明磊落去哪儿了？居然做这种不入流的事！”

“不入流？”舒雅南冷冷道，“如果我没看到这些，你是不是还要振振有词地教训我，说我胡思乱想、疑神疑鬼？”

“逢场作戏而已，我从没想过跟你分开。”凌岩解释。

这么理所当然，这么坦然处之……舒雅南怒极反笑，一脸鄙视地问：“凌影帝，你是皇帝演多了真把自己当皇帝了？我是不是要跪下来拜谢你不离不弃的恩情？”

凌岩蹙起眉头，眼底带有不耐烦：“如果你连这种逢场作戏都受不了，我们就到此为止。我不需要一个时刻监视我的妒妇。”

舒雅南整张脸上血色褪尽，声音带着难以克制的颤抖：“六年了……我为你放弃大好前程，做你的隐形女友，从没有过怨言……你当初是怎么对我说的……一生一世一双人……”

凌岩脸色阴晴不定，面对舒雅南的质问，不仅没有愧色，反而越发厌恶。

他突然拉过舒雅南，将她拽到衣帽间的落地镜面前，迫使她看向镜面。

“看看你自己，再看看我！”

镜子里，刚洗完澡的男人赤裸着上半身，宽肩窄腰，两大块平整的胸肌，往下是结实的八块腹肌。性感的古铜色肌肤，刀削斧凿般的脸庞，空气中溢满男性荷尔蒙的气息。这就是当红影帝凌岩，一个令万千女性发疯发狂的男人。

而他身旁的女人，素颜的脸庞上有几颗刚冒出的痘痘，熬夜的黑眼圈和浮肿的眼袋清晰可见，皮肤不再嫩得可以掐得出水来，脸上还挂着痛苦又愤怒的眼泪……

凌岩看着镜子里的舒雅南，就像高高在上的君王，冷冷道：“我们在一起这么多年，爱情早就没了，可我还是在你身边。因为我是一个负责任，念旧情的男人。可你实在太让我失望了，现在就连最后那点优点——识大体知进退的分寸都没有了。”

男人的话字字扎心，舒雅南的身体在控制不住地发抖。

凌岩甩开她，从衣柜里随手拿出一套深色西装，利落地穿上。

舒雅南跌坐在地，愣愣地开口道：“是你说不要我在娱乐圈打拼，要我做你身后的女人……是你说身体健康最重要，叫我不要委屈自己，不要节食……是你说……我是你这辈子唯一的女人……”

男人对着镜子整理衬衣领口，无可挑剔的五官在灯光下犹如一幅精心描摹的工笔画。他却是魔鬼，残忍地挖出她的心，蹂躏，粉碎。

“我说过的话都还在。只要你不瞎闹，我不会跟你分开。六年了，没有爱情也有亲情，我会对你负责到底。但你要清楚，我们聚少离多，我正值事业上升期，逢场作戏在所难免。如果这点都无法忍受，你就不配做我身后的女人。”凌岩斜视着舒雅南，“多少女人做梦都想跟我，舒雅南，你占了多大的便宜，难道不知道？”

“我对你仁至义尽，你自己好好想想吧！”他冷笑，整好西装后，转身离去。

“砰——”他听到背后发出一声巨响。

凌岩一惊，回过头，只见舒雅南拿着木质衣架，用力砸向落地镜。飞溅的玻璃碎片扎到她手上，染出一片血红。

凌岩眼底尽是厌恶，说：“你还没疯够吗？这样只会让我们彻底分手。”

“对！”舒雅南眼眶通红，但眼神冷静得可怕，她指着那面破碎的镜面说，“凌岩，我们就像这面镜子……已经碎了，彻底碎了！”

凌岩定定地看了她几秒，心里浮起一阵钝痛，缓缓地扭绞起来。

他一字一字缓慢又冰冷地说：“好，如你所愿，不要后悔。今天不是我凌岩抛弃糠糟之妻，是你舒雅南不知好歹。以后你就算哭着求我，我也不会再回头看你一眼！”

“滚——”

舒雅南足足一周闭门不出，纸巾哭湿一包又一包，眼睛肿成了两个核桃。她看着镜子里的自己，产生了无以复加的厌恶。怎么就变成这样了呢？

本来不该是这样的……

十八岁出道的她，星途一片光明璀璨，二十岁作为女子团队Miss的队长，火得一塌糊涂。十八岁到二十四岁这六年，是她的黄金六年，风光一时无两。

直到二十四岁，她人生的转折点出现了。

这一年，她与二十三岁的凌岩相恋，两人爱得死去活来。他是无名小卒，她是当红偶像。他郁郁不得志，她忙得脚不沾地，这种状态注定了两人矛盾不断。爱情的分分合合让她心力交瘁，圈子里的规则也令她疲于应付。当时一个队员与公司闹解约，公司决定让Miss五姐妹单飞发展。而她在用力推了一把凌岩后，选择淡出娱乐圈。

二十六岁与公司解约后，她彻底退出娱乐圈，成了凌岩身后的女人。在他迅猛地发展事业时，她买房，装修，选购家具，悉心构建他们的小家。只等他混出一番名堂，两人携手步入婚姻殿堂。

相恋至今六年了，他从当初的无名小卒变成家喻户晓的大明星，而她从那时的偶像巨星沦为平庸路人。

一个月前，他在电影节上摘得影帝桂冠，她独自在家激动落泪，整整一夜兴奋难眠。

一个月后，她发现他出轨，她成了他口中没有爱情只有亲情的糟糠之妻……

眼泪再次滚落，舒雅南抬手揩拭，心里想着这都是曾经脑子里进的水。

门边传来响动，舒雅南转头，只见一个女人带着几个男人，大摇大摆地走入客厅。

这个女人舒雅南再熟悉不过，虽然这是她们第一次见面。她本人比屏幕上看起来更年轻、更漂亮，具备了做“小三”的基本条件。

舒雅南冷冷道：“你来干什么？这里不欢迎你。”

雯靖的目光由上到下打量着舒雅南，脸上是毫不掩饰的鄙夷，还有一种放心的得意。她笑着说：“据我所知，这房子的房产证上，写的可是凌岩的名字。”

舒雅南暗暗咬牙：“谢谢提醒，我很快就会去办过户手续。”

她当初是有多蠢，才会在买婚房时写上凌岩的名字。

雯靖呵呵笑起来：“你放心，我和阿岩不差这点钱，不会跟一个家庭主妇抢房子。”

“这是我买的房子！”舒雅南再次强调。

“随你怎么说咯，懒得跟胡搅蛮缠的女人啰唆。”雯靖傲慢地冷笑，“我今天来，是帮阿岩拿走他的东西。”

说完，雯靖指挥着她带来的几个人在屋子里进行大扫荡，有关凌岩的物品都被他们收走，无关的东西随便乱丢乱扔。

雯靖坐在沙发上，架着双腿，点燃一支烟，徐徐抽起来。目光看向垃圾桶里的比萨盒，她一边“啧啧”着一边摇头，面带怜悯地说：“别说我不同情你，你跟阿岩实在是不配啊。说你像他姐都得昧着良心，你就像他妈啊，你知道吗？”

舒雅南攥紧双拳，克制着怒意，不动声色地笑道：“是，你们最般配了。渣男贱女配一脸，祝你们百年好合。对了，妈妈再送你一句，小三者恒被三之。”

“你……”雯靖大为光火，豁然起身，正欲发作时又冷静了下来。她好不容易熬到凌岩分手，不能在这个节骨眼儿上闹出幺蛾子。她慢悠悠地坐下，转而笑道，“可难为阿岩了。人家圈养金丝雀，他养个老阿姨，这怎么吃得下口嘛，难怪对我需求那么强烈。”

舒雅南夺过她手里的烟，掐灭在烟灰缸里，盯着她，说：“每一个不要脸的小三背后都有一个更不要脸的男人，我不想跟你撕，但这不代表我怕了你。”

舒雅南表情阴沉，眼神凶狠，仿佛下一刻就会不计后果地发疯。

雯靖心里露怯，轻哼一声，别过脸。她是公众人物，不跟这疯婆子一般见识。

不消片刻，屋子里犹如鬼子进村，一片狼藉。雯靖起身环视一圈，带着那几个人拖着箱子离去。

走到门边，她顿住脚步，头也不回地说：“你跟我们不是一个世界的人。我希望你有自知之明，不要拿捏他的软肋骚扰他。以后各自海阔天空，对谁都好。”

雯靖离开后，舒雅南开始收拾屋子。

她咬着牙，没让一滴眼泪流下来。直到家里每个角落缝隙都被打扫得干干净净，她身上也是大汗淋漓。

舒雅南洗了个澡，坐在沙发上，打开电视。

明珠卫视《星播客》栏目，凌岩和影后温情正在接受访谈。凌岩身穿剪裁合体的蓝色西装，姿态优雅地坐在沙发上，游刃有余地跟主持人互动。他风度翩翩、妙语连珠，浑身笼罩着巨星光芒，时而与温情相视一笑，引发现场观众连连尖叫。

每当镜头切换到观众席，那些人眼里涌动的崇拜、激动和热切，无不狠狠地扎刺着舒雅南的心。曾经，她也站在光芒万丈的舞台上，受万千粉丝喜爱。

你跟我们不是一个世界的人……鄙夷的声音在脑海中响起。

舒雅南拿出手机，在通信录里翻翻找找，找到了尘封几年的手机号码——前经纪人苏娜。

响了几声后，电话那端响起了遥远又熟悉的声音。

“嗨！”

“娜姐，是我，Anya。”

“Anya，我的天，多久没你消息了？这几年过得怎么样，宝宝几岁啦？”

“未婚，无子，刚失恋。”舒雅南嘲讽地勾起嘴角，随即坚定地道，“娜姐，我想复出。”

“宝贝，你不是在开玩笑吧？”

“没开玩笑。娜姐，帮帮我。”

时值初秋，城市华灯初上。

舒雅南出门前，在衣柜里翻了个底朝天，选了窄脚牛仔裤和宽松的休闲毛衣，外面披着件深蓝色长外套。

她驱车来到国际博览中心。今晚在这里有个音乐节暨年度颁奖典礼，苏娜带着几个艺人前来参加。苏娜行程太赶，明天一早又得飞去国外，于是约她今晚颁奖典礼结束后在后台碰面。

舒雅南买了观众席 VIP，进入晚会现场。一轮颁奖过后，时下热门少女组合 High Girl 登台表演。八个女孩子穿着白色制服上衣和热裤，八双大长腿踢踏起舞，现场尖叫连连，掌声不断。

看着舞台上活力四射的鲜活面孔，舒雅南湿了眼眶。

谁会想到，现在如此落魄的她，也曾站在舞台上光芒万丈。那时候 Miss 的声势，比起如今的 High Girl 有过之而无不及。Miss 是那个时代的传奇组合，身为队长的她如日中天，红遍娱乐圈。可她为爱情入了魔，放弃大好星途。

那时候，她想，只要有他，心满意足。

如今零落成泥一无所有，心生多少无法说出口的悔恨……

到了约定的时间，舒雅南去往后台。

“天哪——Anya！我是不是看错了……”苏娜一脸惊恐地看着舒雅南，由下打量到上，又由上打量到下，嘴巴张大得能塞下一个鸡蛋，“你真的不是生孩子去了吗？你怎么能允许自己发福到这种程度？天哪！这简直是灾难……”

舒雅南偏过头，看向镜面里的自己，跟几年前相比确实差距很大。身高一米六八的她，在事业巅岩期体重没上过一百斤，如今有一百二十斤。这几年，她由过去越瘦越美的审美观里扭转了过来，觉得圆润点也不错，看着饱满又健康，便没有过分苛责自己减肥。

“退出娱乐圈后过着随心所欲的生活。”舒雅南笑了笑，“你也知道，我是易胖体质。”

两人找了间咖啡厅坐下。

舒雅南大概讲了自己的境况，苏娜是个快意恩仇、性格直爽的女人，当即陪她一起大骂渣男。可是骂完她又说：“Anya，我把你当妹妹，就跟你说些掏心窝子的话，现在的娱乐圈不像十年前那么好混了，小花们层出不穷。你消失了几年，人气耗光了，眼下又是奔三的年纪，何苦还要来蹚这浑水？不如找个靠谱的男人嫁了，好好过日子。”

“才三十而已，很多艺人的黄金期三十岁以后才开始。胖了可以减肥，身材不好可以练啊。这些都不是我必须放弃的理由。”舒雅南心意坚定，目光灼灼，看着前经纪人道，“我知道自己不比当年青春年少，我不打算再走偶像路线，这次我要做实力派。”

“Anya，我很欣赏你的拼劲和闯劲，但从我专业的角度看，你是吃力不讨好。”

“就算撞得头破血流，我也不会后悔。娜姐，帮帮我。”

她掌心的温度，传递在她皮肤上，苏娜有了几分动容。

沉默半晌，她收起朋友叙旧的温情，表情严厉地道：“体重减到一百斤，证明自己的决心，再来找我。”

“好。”舒雅南重重地点头。

舒雅南度过了地狱般的三个月。她彻底改变了前几年随性自由的生活方式和饮食习惯，每一天精心搭配食物，每一口吃下去的东西都计算热量。

她不仅要瘦下来，还得美回去，调养出最好的状态。所以光靠饿不行，她每天泡在健身房里，跑步、游泳、器械、举铁，累得自己大汗淋漓，精疲力竭。

前几年过得有多舒适，闭关这三个月她对自己就有多狠。

不是不痛苦，每次放弃的念头快要萌芽时，她在脑海中回放镜子前的那一幕，她和凌岩的鲜明对比……于是慢下来的脚步又快起来了。

曾经以为爱情能为她遮风挡雨，她自我麻痹，自以为是，把一切都投注在他身上。

如今海市蜃楼轰然倒塌，一切美好幻想消失了，只有最残忍最冷酷的现实在嘲笑和讽刺她——她输得一无所有。

他是偶像，是成功，是财富，是光环……

而她是弃妇，是老女人，是过气明星……

他俩光鲜亮丽地拥抱全世界，而她只能躲在角落里暗自垂泪？

不。她不要这样的人生。她不接受这样的“人设”。

她自己栽的跟头，她得自己爬起来。

经过三个月严苛训练，舒雅南不仅瘦到了经纪人要求的一百斤，还练出了火辣的好身材。赘肉和浮肿消失了，身材窈窕有致，锁骨出来了，手臂纤细了，小腹平坦了，马甲线清晰可见，小蛮腰盈盈一握，长腿纤细笔直。

舒雅南满意地看着镜子里的自己，大胸细腰翘臀大长腿，曾经引以为傲的身材优势，统统回来了。

她知道，这不是结束，这场战役才刚刚开始。

新世纪传媒大楼。

出租车稳稳地停在大门外，司机收了钱，笑着问道：“你是哪个明星吧？”

后座戴墨镜的女人笑了笑，不置可否，推开车门下车。

女人身穿蓝色刺绣外套，白色露腰打底衫，灰色铅笔裤，脚踩恨天高，黑色长发如瀑流泻，墨镜挡住了半张脸，肤色白里透红。司机发动车子时，仍频频回头看她，这身材、这气质，不是明星也是要成为明星的人。可惜了，刚刚没要个签名……

舒雅南迎着晨光，取下墨镜，嘴角弯起弧度，脸上没有半分胆怯，抬步往大楼里走去。

流汗流泪的三个月终于过去了，到了检验成果的时候了。

大厅内，一个又一个步履匆匆的人从身侧经过，一块巨大的展牌由外面抬进来，伴着“让一让、让一让”的声音……舒雅南索性避到电梯口的拐角处，给苏娜打电话。电话里，苏娜匆忙的声音传来：“等一下啊，我下去接你。”

舒雅南低头摆弄着手机，百无聊赖地等待着。另一侧响起电梯抵达的清脆声音，她赶忙迎上前。电梯门徐徐开启，她没看到苏娜，里面是几名身穿黑色西装的男人。

每个人脸上都面无表情，气氛静默到肃杀。

在极度的低气压中，舒雅南没有被吓跑，甚至没有收回目光，她愣愣地看着站在正中间的那个男人。

男人抬步迈出电梯，身旁的人侧身礼让，等他走出，方才跟上脚步。

烟灰色高级定制西装包裹着男子颀长的身形，俊美无匹的脸庞上没有一丝温度，走廊上的灯光打在他脸上，连光都泛着冷意。大长腿飒沓前行，黑色皮鞋踩在大理石地面上，发出有节奏的声响。

他从舒雅南身旁走过时，目光始终看着前方虚空，没有在她脸上停过一秒，仿佛她只是空气。

舒雅南心里却掀起了惊涛骇浪！

是他……一定是他……

虽然他的发型衣着气质全然改变了，但那张脸不会错。这世上很难再找出这么精致无瑕令人过目不忘的脸孔。

男人渐渐走远，舒雅南心中一跳，小跑着上前，拦到他跟前，惊讶又惊喜地问："是你吗？西凡？"

对上男人的目光，她身子忽然颤了一下。

他冰冷的眼，凌厉的气势，与过去判若两人。

舒雅南被那目光看得脊梁僵直，脸上的欣喜渐渐收住，疑惑地看着他："西凡？"

"你认错人了。"低沉的声音，夹着凛冽之气。

认错了吗？最后一次见面是在六年前，他就像个大孩子，穿着运动卫衣戴着鸭舌帽，笑起来会露出两个可爱的小酒窝……

舒雅南看着男人离去的背影发愣时，身后传来苏娜的声音。

她敛回神思，转过身，笑起来，自信满满地迎接经纪人的审视。

办公室内，苏娜将舒雅南上看下看，又捏又摸，连连点头："不错不错！身材好，气色好，马甲线都出来了，我的妞儿好样的！没让我失望啊！"

舒雅南俏皮地眨眨眼："万事俱备，就等着娜姐拿合同来签我。"

苏娜脑子飞速运转，突然问道："你认识寰亚的宫总？"

舒雅南疑惑地问："寰亚宫总？"

她知道寰亚集团，产业涵盖金融、汽车、地产、时尚等诸多领域，旗下拥有多个自主品牌，其中不乏引领国际风尚的奢侈大牌。娱乐业巨头之一的新世纪娱乐，就是寰亚旗下的全资子公司。

即使当年她最红的时候，也没机会跟寰亚集团的高层接触。

“刚刚我出电梯时，看到你在跟他说话。”苏娜笑得意味深长，“看样子像是老熟人。”

“他……是寰亚的领导？”舒雅南一脸惊愕。

“寰亚集团副总经理，宫垣，寰亚创始人宫志诚的嫡孙。对了，新世纪娱乐由他分管，如果你能跟他搭上线，”苏娜手指敲击着桌面，嘴角勾起，“走向巅峰，指日可待。”

舒雅南定了定神，如实说：“我不知道他这层身份，如果我没认错，他当年是我的狂热粉丝，Anya 全国粉丝后援会副会长。”

苏娜正端起咖啡送入口中，听到这句话，呛了出来。她一边呛咳一边笑，缓了好一会儿，说：“妞儿，你逗你姐呢？宫总是你的狂热粉丝？据我们了解，宫总是出了名的不近女色的高冷老板。”

舒雅南也不争辩，只说：“等你有时间，我给你看些东西。”

是夜，舒雅南的独栋小别墅里。

她在书房的书柜里翻找着，苏娜四下参观，说：“房子不错啊，小富婆。”

舒雅南淡淡地笑：“我也就剩这房子了。”

当时想着结婚要婚房，她花几百万元买了这栋小别墅，这几年房价飙升，尤其是一线城市，如今这套房价值几千万，算是无心插柳柳成荫。

退出娱乐圈时她手上还有些余钱，本可以做别的投资，但凌岩的事业才起步，他的经纪公司没打算力推他，资源和经费都有限，她便拿出自己的血汗钱贴补他，为他到巴黎置装，出资助他交际应酬。

这几年他发展得顺风顺水，与她的鼎力扶持有很大关系，无论人脉还是资金，她都竭尽所能。就算凌岩红了以后，他的收入她也没有过问。相反，两人在一起的吃喝用度，一如既往地由她负责，成了惯性模式。几年下来，她的家底被掏空了，但她想着两人只差一张结婚证了，老夫老妻的分什么彼此。

如今，凌岩出轨，感情破裂，她毅然脱离这段关系后，才深刻领悟了，你是你，他是他。所有的投入和付出，倾心交付的全世界，在爱情消逝后，都只会沦为一个笑话，一个荆棘丛生，将你伤得体无完肤的笑话。

舒雅南从柜子里找出尘封的相簿。她打开相簿，走到苏娜身边，指着照片里的人问："你看看，这是不是宫总？"

"我的天哪，这真是宫总！这也太萌了！"苏娜惊叫，她看着照片下的日期道，"六七年前，宫总那时候才二十呢，一脸青涩纯真。哇哇哇……"她突然又发出尖叫，两眼放光，活脱脱的迷妹样，"原来宫总还有两个可爱的小酒窝！帅到爆炸！"

看着照片上那个笑得一脸灿烂与舒雅南合影的男孩子，苏娜脸上各种夸张的表情就没停过。谁会想到，这位豪门后代，商界新贵，素来以冷漠强势著称，旁人只可仰望无法靠近的大老板，竟然还有这么青涩可爱"萌萌哒"的一面？！

"你往后翻，还有更早的。"舒雅南笑着说，"他做了我几年的粉丝，外形出众又热情，我对他印象很深。"

所以，即使六年不见，这个曾经追随过她的粉丝，她依然能认出来。她只是万万没想到，他有这样的身家背景……

不知道是因为长大了，五官长开了，还是因为男人成熟了，气场会改变，他整个人的气质感觉与过去截然不同。曾经的他就像初夏的阳光，单纯又热烈；现在的他，像寒冬的风雪，高冷、凛冽。

苏娜兴致勃勃地反复翻看相簿，笑得一脸花痴，完全停不下来。

舒雅南适时地给她泼了一盆冷水：“白天见到他，他好像不记得我了……”

苏娜回过头，无比痛心地看着舒雅南……啧了她一顿！

“谁叫你退出娱乐圈？你不上进不努力，为了一个男人耽搁前程！当年你的脑残粉多少对你粉转黑了？你说你不在乎！你还指望宫总这么多年对你念念不忘？是你先抛弃他们的！”

舒雅南无言以对。

“自己作死，活该！”

一周后。

偌大的宴会现场，灯火辉煌，衣香鬓影，酒气氤氲。

舒雅南长发盘起，穿着黑色晚礼服，手中拿着金色手包，与苏娜一道在会场内穿梭。

现在她是新世纪娱乐的签约艺人，跟着苏娜。前几天她接连参加了两部电影的试镜，过没过还不知道，正在等消息。

以前Miss组合主打歌唱发片，她因为外形出众，人气“爆棚”，遵循娱乐圈里唱而优则演的规则，拍过几部偶像剧，算是有些基础。可苏娜说：“你没了人气优势，还不如那些水灵灵的新人，人家价格低好使唤，自愿为艺术献身。你们这些‘回锅肉’，心高气傲毛病多，没了粉丝还有谁惯着？炒煳的比比皆是。何况现在唱片业萧条大家都往影视圈挤，竞争太激烈了。”

是的，苏娜每天都在不遗余力地嘲讽她打击她。但舒雅南经历过情变后，练就了一颗金刚心，接收的负能量很快就自行消化了。她也喜欢这种字字诛心的经纪人。

不然，她怎么能厚着脸皮来到这里……

场内有掌声响起，先是小范围内的掌声，后来全场掌声雷动。

寰亚集团副总经理宫垣，在万众瞩目中走上主讲台。灯光齐齐打下，一身笔挺西装的他犹如披戴万千星辉，耀眼得夺人心魄。在场的女士们低声私语，赞叹这惊为天人的俊美。

苏娜在舒雅南耳边轻声道："你要把握机会啊，趁着没人的时候，跟宫总搭上话，好好追忆一番往昔峥嵘岁月。没准宫总一个高兴，直接给你女一号了。"

"这种抱大腿的方式是不是太简单粗暴了……"舒雅南有些犹疑。

苏娜瞥她一眼："真能抱上这条大腿，你就偷着乐吧！"

来之前苏娜耳提面命地教育过舒雅南："你要想在这个圈子里立足，就得收起你那些莫名其妙的矜持，刮掉你那层薄薄的脸皮！作为一个偶像，当初是你退圈抛弃那些爱你的粉丝，人家失望是理所当然的！你现在就该让粉丝对你重拾信心！"

此时，苏娜看向台上那个光彩夺目的男人，再次惊叹："不是看到那些照片，打死我都不信宫总会是你的粉丝，三观都碎了……原来霸道总裁也会有中二期啊！"

宫垣演讲完毕走下台，苏娜掐了舒雅南一把。舒雅南手持高脚杯，在场内缓缓踱步，目光一直追随着他。

眼见宫垣走入无人的长廊，舒雅南抓住机会，快步上前。

舒雅南笑眯眯地拦在宫垣身前，对他招手："西凡。"

宫垣眸色微沉："你认错人了。"

他绕过她，迈步前行。

舒雅南一个心急，抓住宫垣的衣袖，开启诚恳忏悔模式："我知道，我当初退出让大家失望了，我对不起你们这些支持我爱我的粉丝。"

宫垣猛地甩开舒雅南的手！

他力气太大，舒雅南猝不及防，接连往后退了几步，“咚”的一声撞上墙壁，身体倾斜，酒杯里的液体泼在礼服裙上。

舒雅南傻眼了，这可是她花钱租来的名贵礼服啊！万一洗不掉怎么赔啊？

舒雅南后背骨头撞得生疼，勉强站起身，正想清理身上的酒液，发现宫垣双眉紧锁，伸手揉上额头，脸色不是一般的难看，好像……很痛苦的样子？

“你怎么了？头疼吗？要不要我给你叫人？”舒雅南紧张地问道。她发誓她碰都没碰到他！

在引起众人围观前，宫垣伸出手，拽住舒雅南的胳膊，拖着她快步前行。

“慢点……喂！慢点啊……”穿着高跟鞋的舒雅南脚步踉踉跄跄。

不远处，暗中观察这一切的苏娜，悄然竖起了大拇指。

有戏！

花园内。

宫垣用力甩开舒雅南，也不管她差点跌倒在地，脸色冰冷地道：“你听好了，我是宫垣，不是你口中的西凡。”

舒雅南站直身体，回视他：“你撒谎。从刚刚开始，你就很紧张。如果真的不认识我，你不会这样。”

男人漂亮的双眼充满阴鸷之色，话里带着可怕的威胁：“不管你是谁，离我远点。再来骚扰我，别怪我不客气。”

舒雅南深吸一口气，自嘲地笑了笑：“我知道是我不好，不该销声匿迹，让大家失望。我也没理由要求你们一直喜欢我。既然宫总觉得粉过我是不堪回首的往事，我不会再自讨没趣。但是……”她看着他的眼睛，声音不大但分外清晰地说道，“我想对曾经的西凡说，我回来了。我要再次登上这舞台，一步一步走向当年的 Anya。”

不等宫垣回应，舒雅南的微笑舒展开来：“那么，不打扰您了，宫总。”

宫垣看着女人离去的背影，表情越来越诡异，脸部肌肉几近扭曲，仿佛在做一场艰苦卓绝的战斗。他突然蹲下，死死抱着脑袋，咬牙切齿，肌肉抽搐着。

舒雅南越走越远，看不到身后人的痛苦挣扎。

Chapter 2 轻音

她终于来了……

有她在，

这个世界才有意义。

我要走出你身体里的角落，

走出来，主宰这一切。

半个月后，舒雅南进了电视剧《我最亲爱的你》的剧组。都市偶像剧，男一号女一号都是正当红的流量明星。

苏娜带舒雅南来之前再三强调她费了多大工夫花了多少人情走了多少关系，才把她这过气的“回锅肉”塞进这个必爆的剧组里。虽然争取到的角色是女三号，但也该知足了。

舒雅南是知足，如果没有故弄玄虚，这个女三号怎么都轮不到她。

上次晚宴过后，苏娜问她跟宫总聊得怎么样，她感伤地说：“就这样吧……他对我退出娱乐圈很失望，不相信我是真心复出。我得奋力打拼，才能让他另眼相看。”

苏娜沉吟道：“也是……要想得到提携，得先自己伸出手。”

于是苏娜竭力为舒雅南找资源。

这几年她手上没有大爆的一线明星，金牌经纪人的地位也是岌岌可危，她急需要带出一线明星。手上的几张牌看来看去，还是舒雅南最有潜力。她很有观众缘，虽然现在过气了，但有那个资质在，背后还有富可敌国的宫垣，再次红起来指日可待。

在苏娜的努力下，舒雅南复出第一部戏就进了收集流量明星的剧组。舒雅南很感激，从接到剧本起，日日拿着看，认真揣摩角色。

她这个女三号其实乏善可陈，男一号的初恋女友，心中的白月光，得了癌症活十集就挂了，存在的意义就是阻碍男女主感情发展，使男一号饱受内心煎熬。女二号恶毒女配戏份比她多，性格更比她这个有张力。但苏娜说了，刚上银幕，一定不要接不讨喜的角色。演得不好挨喷，演得好了更糟糕，以后找来的都是同类型反面人物。而且观众的感情随着角色移情，负面人物不仅很难圈粉，甚至会遭人唾弃。舒雅南听经纪人的话，好好琢磨女三号怎么演绎。

剧组通知开机，她利索地收拾东西出发。因为是都市爱情剧，拍摄地点就在S市。

进组第一天大家互相认识。男一号易子涵，90后当红小生，微博几千万粉丝，走哪儿都有一大群迷妹蜂拥而至，红到打个喷嚏都能引发全民热议。他也是整部戏最重要的收视担当。女一号……舒雅南看到的资料是夏岚，现场看到的却是雯靖。

苏娜知道他们之间的破事儿，凑到舒雅南耳边说："临时换人，空降来的。表情自然点啊，你再苦大仇深也没人会因为她是小三撤她的戏。"

舒雅南不傻，她知道在娱乐圈里，没有对错，只有利弊。

她落落大方地笑起来，在旁人介绍他们认识时，主动伸出手。

雯靖看到她，蓦地瞪大眼。她竟然是凌岩那个黄脸婆？与上次见面时变化太大，她差点没认出来。

消化震惊后，雯靖目光瞥过，手都没拿出来，转个身就去跟别人讲话了。舒雅南被藐视了个彻底。好在人多，短暂的尴尬后，苏娜马上带她认识下一拨人。

第一天的安排是拜神，媒体采访，开机宴，忙碌又拥挤。易子涵因为档期原因没赶过来，包围的迷妹们等了一天不见人，怨声载道。舒雅南穿着破洞牛仔裤和棒球服外套，简单清爽时尚。她美得自然，超出流水线网红脸的颜值引起了围观者的注意。她听到有人在讨论她，更加注意自己的一言一行。

一天下来，舒雅南回酒店倒在沙发上就不想动了。

苏娜在一旁跟她确定后期安排，末了安慰她："别把那小贱人当回事，就她那鼻孔朝天的德行，蹦跶不了多久就有人收拾她！"

舒雅南笑了："不用别人收拾，等着我用人气碾压她，实力吊打！"

"乖乖，我就喜欢你明明这么落魄还倍儿有自信！"苏娜竖起大拇指。

舒雅南心想：姐，你真的不是在嘲讽我吗？

苏娜拍了拍她的肩膀："好好干！"

两人四目相交时，舒雅南看到苏娜眼里的信任，也看到了自己瞳孔里燃烧的火光。

她不服输，是的，即使现在零落成泥身处低位，即便这一天时时被忽视处处被怠慢，她没有怨怼没有委屈，而是愈加想要拼尽全力往前冲。

她失去的，她都得拿回来！

剧组正式开机后，苏娜给舒雅南留了个助理就走了。舒雅南秉承韬光养晦的原则，在剧组里低调做人，笑口常开。每次看到雯靖总会产生生理性厌恶，她忍。她有意无意地针对，她也忍。一周下来两人相安无事，全靠舒雅南的忍让。

今天这场戏是舒雅南与雯靖的对手戏，女主误以为女配勾引并陷害男主，跑来她的公司找他算账，在冲动之下甩了她一耳光。偏巧男主在这时候赶过来，看到了这一幕，导致了他们第一次分手。

"啪——"雯靖一巴掌扇过去，眼含热泪，死死地盯着舒雅南。

现场一片寂静，舒雅南跌倒在沙发上，仰起脸无措地看她。

雯靖深呼吸几次，正欲开口，紧绷的表情突然放松了，转过身对一旁的导演说："哎呀，我忘词了……"

导演面露不悦，但没说什么，挥了挥手："各就各位，再来。"

场记板打下，两人再一次争吵。雯靖一巴掌挥来，舒雅南再次倒在沙发上。雯靖逼近，盯着舒雅南："你要敢伤害他，我……我……"雯靖突然"扑哧"一声笑了，一边笑一边转身，"不好意思啊，我对着这位三十岁阿姨强行装无辜的脸，实在太出戏了……”

恶意满满啊！才三十岁叫人阿姨！片场众人的目光看向舒雅南，这要还不撕，给一个大写的服！

导演恼火地揉了揉眉心，怎么把不对盘的两个人搞到一个剧组了？

人群后方，易子涵靠在墙上，脑袋上压着鸭舌帽，原本双臂抱胸看戏的他，站直了身子。

他正要上前，舒雅南从沙发上站起身，语气淡淡地道：“你也会有三十岁的时候，希望三十岁的你不要像现在这样，拍一场简单的戏不停地 NG 拖累全组，还自以为很可爱。”

说得好！旁观者怒赞。

两相对比之下，舒雅南大气稳重，不卑不亢，言行有度。众人不由得在心中感叹，到底是红过的，跟那些被欺负的新人完全不一样。

雯靖脸上一阵红一阵白，被嘲讽得怒不可遏，骂道：“过气明星，你有什么资格教训我？！”

舒雅南没理她，转而看向导演，问道：“再来一次吗？还是换下一场戏？”

“再来！”雯靖横插一句话。

导演无奈地点头：“各就各位……”她带资进组，她厉害。

“Action！”场记板打下。

争执，甩耳光，雯靖盯着舒雅南，嘴唇动了动，正要说话，舒雅南开口道：“你有没有问过你自己，你是真的爱他吗？他不是你童年喜欢过的洋娃娃，他是一个人，是一个有喜怒哀乐的人……”

说着台词时，舒雅南眼角的泪缓缓滑下，流在那张已经被打肿的脸上，分外楚楚可怜，却柔而不弱。

雯靖愣愣地看她，玩抢白？

舒雅南往门边看去，像是看到了什么人，眼神一变。

雯靖正要发飙，只听得导演喊了“咔”。

导演：“很好，就这样，下一条。”

雯靖：“导演，她抢白！我还有句台词没说！”

“就这样，挺好的，你当时的状态无声胜有声，这种演绎效果非常好。”

雯靖还想说什么，工作人员已经在为下一场戏忙碌了。

“子涵！你可来了啊！”惊喜的声音响起。易子涵在片场里是万众瞩目的焦点，一时间，所有人的注意力都放在了他身上。导演心中一喜：“正好，接下一幕。”

下一幕男主角出现，看到女配角被打，责问女主角，三个人飙戏。

雯靖恨恨地瞪了舒雅南一眼，转过头面对易子涵时又笑靥如花：“涵哥。”

易子涵没看她，目光落在舒雅南脸上，两人视线交会时，舒雅南微笑颔首，很平淡的眼神，有距离的礼貌。易子涵回以点头，眼里的失望一闪而逝。

接下来这场戏很顺利，或者说电视剧拍得很快，不像电影精心打磨每一个镜头。这三人的演技正常发挥的话，不卡词、不过分出戏就能过。

舒雅南把她今天的戏份拍完，离开片场。

回到酒店，她用冷毛巾敷脸。如果不消肿，没法拍明天的戏。

晚上助理来送吃的时，她脸上还是没消肿，舒雅南决定去买消炎药膏，这样好得比较快。

她穿了一身休闲装，冲锋衣外套拉链拉到顶，挡着下巴，戴上鸭舌帽，压低帽檐。对着镜子打量自己，这么中性又低调的打扮应该不会被人认出来……想法刚闪过，舒雅南失笑，还当自己是几年前的Anya？

她在地图上搜索了附近的药店，最近的也隔了一条街，正好，透透气。舒雅南独自出发了。

她拐过一个街角，听到角落暗处传来打斗声。

舒雅南从小就是古道热肠打抱不平的性格，长大后吃了不少亏，渐渐有所收敛，懂得不该管的事情就不要管。但眼看着五个人围殴一个人，她无法袖手旁观。

舒雅南悄悄走远几步，在他们看不到的地方，打电话报警。

过了几分钟，警察还没出现，那个人明明被打得快要站不起来了，却跟一头倔驴似的死死对抗。舒雅南心里急啊，在自己眼皮子底下闹出人命，那感觉就跟帮凶一样。

她急中生智，躲在暗处，将手机里的警铃音频打开。

警铃大响，那几人见势不妙，一哄而散。

被打的男子瘫倒在地，舒雅南本来是要走，可看他好一会儿还不起来，担心他是不是晕过去了……舒雅南小跑着来到男人身旁蹲下，推了推他的肩膀："你还好吗？"

男人闭上的眼睛睁开，恰好此时一束灯光从他脸上掠过又滑开，仅仅是片刻，即使脸上泛着青紫，嘴角涌出血丝，仍然掩盖不了他惊为天人的五官。

那一晃眼的光亮，令舒雅南蓦地瞪大眼睛，惊愕得说不出一句话来。

宫垣？寰亚集团继承人宫垣在街边被小流氓围殴？！

男人看到她，黑夜般死寂的眼里蓦地有了光亮，像两团跳跃的火焰。他缓缓地伸出手，想要触摸她的脸。

舒雅南回过神，拿起手机说："等着……我给你叫救护车……"抬起的脸庞恰好错开了他的手。

急救电话打通，舒雅南正要说话，手机突然被抢走了。宫垣攥住她的手机，手肘撑着地面，艰难地起身。

"怎么了？"舒雅南帮忙搀扶他。

宫垣一米八五的身高和健壮的体格压过来时，舒雅南差点站立不稳。她吃力地扶住他说："这附近有门诊，我带你过去。"

舒雅南叫了一辆车，带宫垣到医院门诊部。她搀扶着他入内，几个医护人员见状忙迎过来，还没靠近，宫垣抬起头，眼里凶光毕露，几人吓得待在原地不动。

舒雅南将宫垣放在沙发椅上坐下，去给他挂号。

等她交了钱出来，她发现医生和护士根本不敢靠近宫垣，他就像一头攻击力满级的野兽，眼神凶狠，浑身散发着戾气，仿佛随时会扑上去咬人。

舒雅南心想：被打后遗症？

如果是别人，她就不蹚这浑水了，但他是宫垣，是她曾经的真爱粉西凡。爱护粉丝是她从出道第一天起就有的信念。

舒雅南走上前，坐到宫垣身边，手掌轻轻覆在他青筋暴起的手背上。宫垣转头看她，眼里戾气退去，又浮上一层恍惚。

她像一个家长安抚自家小孩，轻轻地握着他的手，声音温柔似水："你受伤了，得让医生给你处理。他们不会伤害你。"她担心他这是受创后的应激机制，对周遭一切都充满敌意。

舒雅南陪在一旁，宫垣的气场变了，由野兽变成了乖小孩，医生赶忙上前为他处理伤口。

输液时，舒雅南问他：“要不要通知你的家人？”

从开始到现在没有说过一句话的宫垣，仍旧沉默着，但从紧抿的嘴角可以看出他的抗拒。

舒雅南陪坐在病床边，宫垣靠在床上盯着她看。气氛有些尴尬，舒雅南几次找他说话他都不搭腔，她索性拿起手机看新闻。再一抬头，他发现宫垣睡着了。

输液完毕，舒雅南叫来护士拔针。

她给宫垣掖了掖被角，正要直起身，宫垣突然睁开眼。舒雅南动作一顿，微笑道：“醒了？你今晚就在医院睡一晚，出院还是等明天比较好。”

“我不是叫你离我远点？”男人漫天风雪的眼，冷厉地盯着她。

舒雅南瞬间想到前两次见到的宫垣——高高在上盛气凌人的霸道总裁。

对，霸道总裁，她得罪不起的人。舒雅南脸上的微笑由真诚的关切变成了敷衍的应付，说道：“这不是正巧看到宫总遇到危险才……”

“滚！”他打断她的话，满脸厌恶，声音降至冰点。

舒雅南有点无语：才脱离险境就这么对救命恩人？

好样的，果然具有资本家冷血刻薄的本色！

舒雅南深呼吸，没说什么，起身离去。

宫垣目光四下张望，暗暗攥拳，在医院醒来……难道又是 Anger 给他惹事了？

宫垣的贴身秘书陈墨得到通知后急匆匆赶来医院，在医院大门口与舒雅南擦身而过，回头看了她几眼。

病房里，看到鼻青脸肿的宫垣，陈墨明白是谁干的好事，气得骂了 Anger 一顿。每次出来都逞凶闹事，把少爷折腾得伤痕累累，这样下去，说不定哪次就得在街头收尸了！

“这次来得太突然了，我没有防备。”宫垣冷声道，表情没什么波动，像是习以为常。而他对那浑身无处不在的痛楚，更是习惯。

“是我的疏忽。”陈秘书郁闷地自责。

舒雅南待在《我最亲爱的你》剧组，有戏的时候拍戏，没戏的时候琢磨剧本。相比其他那些飞来飞去的主演，她一个戏份不多的配角倒是在剧组待机时间最长。每当有人夸她敬业时，雯靖就会冷嘲热讽地来一句：“除了待剧组能干吗？她有通告吗？三十八线的过气明星！”

舒雅南对此不置一词，懒得理会。但是有心人却能看出来，她这个女配演得比女一号更有层次，更有张力。

其间苏娜带她去电影《传奇》剧组试镜，舒雅南不愿意，因为这部戏的男主角是凌岩。苏娜说：“你以为你真能上啊？这是新世纪的年度大投资，竞争太激烈了，机会渺茫，带你过来就是跟导演混个脸熟，下次好推荐。”

试镜现场大排长龙，极为挑剔严格。舒雅南想到凌岩是这部戏力邀的男主角，而她在这里跟一群人争抢一个只露几次面的女配角色……这反差无异于“啪啪”打脸。

酒店的总统套房里，易子涵在跑步机上挥汗如雨，助理在一旁说行程。

“明天跟广告商那边约了拍摄……”

“明天？不行，有戏要拍。”

“我看了，明天你就跟舒雅南有一场对手戏，都不用正脸，找个替身演吧。”

“不行。那边重新约时间。”易子涵表情坚决，没有丝毫商量余地。

“子涵……”助理还试图劝说，易子涵下了跑步机去举铁。

助理无奈，给经纪人打电话求助。那边听了乐不可支，这边是一头雾水。

“你跟在子涵身边有一阵子了，连他是Anya的迷弟都不知道？”

助理心想：真不知道啊！易子涵从来没说过啊！而且在剧组里也看不出来啊！他没找舒雅南要过签名也没怎么跟她交流，反而……难道那种距离感是面对偶像的紧张吗？！

舒雅南这一天一直觉得心神不宁，莫名感到后背发毛。到了晚餐时间，她去酒店自助餐厅吃饭，仍如芒在背。

剧组没有夜戏，她决定去附近的公园夜跑，放松放松。自从瘦下来之后，舒雅南就养成了坚持锻炼的好习惯，即使在剧组里也不倦怠。作为一名艺人，外形和身材是硬指标，但靠饿来维持不仅没有好气色还危害健康，不如好好健身。

舒雅南换上运动装备，带了防身用品，独自出发了。

可是跑步并没有让她的神经得到舒缓，反倒让那种感觉更强烈。舒雅南心中暗叫糟糕，应该不是自己瞎想，这是真被人盯上了！

她从腰兜里拿出防狼喷雾，渐渐放缓脚步，拐到一个小林子里藏起来。

很快，一个高大的身影进入视线。

这就是跟踪她的人？

眼见那人转过身，舒雅南拿起辣椒水就要朝他喷，动作却突然僵住了。

眼前这张惊为天人的脸……宫垣？！

舒雅南迅速把东西收起来，赔笑：“好巧啊，宫总。”

宫垣看着她没说话。但他的表情不像上次那么高冷臭跩，反而有点……手足无措？

舒雅南不想探究宫垣的内心世界，她维持着脸上的笑容说道：“我先回去了，宫总再见。”已经被警告多次，她不会再自讨没趣，惹不起总躲得起。

舒雅南往回走。走了几步，她转头一看，发现宫垣不远不近地跟在身后。

这条路不是她开的，说不定人家正巧也是从这条路回去……那是身价千亿的寰亚集团继承人，他能对她这小虾米有什么企图……

舒雅南一边对自己说一边大步往前走，可是出了公园，宫垣仍然跟在她身后。

舒雅南控制不住自己了，她停下脚步，走向宫垣，问道：“宫总，您有什么事吗？”

“冤家路窄啊……”阴恻恻的笑声，伴着四下的脚步声传来。

舒雅南心里一紧，放眼看去，一群看样子就不怀好意的人正逐步将他们包围。

其中一人目光落在舒雅南身上，对着宫垣嘿嘿一笑：“这是你女人？很正啊……”

这人话还没落音，宫垣冲上去，一拳挥向他的脸。

“给我上！”几人一拥而上。

还没爆发出尖叫的舒雅南被一个男人捂住了嘴巴：“唔！”

公园外的僻静处，来往没什么行人，他们肆无忌惮地行凶。宫垣起初势头很猛，但招架不住七八个流氓的围攻，很快落了下风。

“瞧瞧这西装质量，还有这名表……这小子是有钱人！兄弟们干一票。”

宫垣和舒雅南都被控制住，车边停了一辆商务车，两人被拉入车内，嘴上贴上胶带。

阴暗的仓库内。

舒雅南被绑在椅子上动弹不得，在她对面是同样被绑住的宫垣。他在车上时竭力反抗，被绑匪敲晕了。此时，一桶冷水浇下，他悠悠醒转。

“通知你的家人，准备一千万。”带头的绑匪勒令道。

宫垣目光四下游移，落在舒雅南身上时停了几秒，怎么又是她？随即在仓库内四处察看，突然面对险恶的环境和一群凶神恶煞的人，他眼里不见丝毫惊惶，反倒流露出超出寻常的冷静。

“电话多少？”绑匪将宫垣嘴上的胶带撕开。

宫垣冷冷地道：“你知道这么做的后果吗？”

一直在一旁眼观鼻鼻观心的舒雅南，不禁转头去看他。那种感觉又回来了，高傲冷漠气势凌人的霸道总裁……

“后果？”为首的男子森然冷笑，“你得想想，落在我们手里会有什么后果。”

他一声招呼，几个人上前，拉起双手被绑住的宫垣，将他推倒在地，拳打脚踢如疾风骤雨般招呼在宫垣身上。

舒雅南心脏紧缩成一团，可嘴巴被封住的她连叫声都发不出，只能“呜呜呜呜”挣扎个不停。

一顿毒打过后，为首的男人踩上宫垣的手腕：“还给老子狂？”

宫垣冷睨着他，明明摔在地面上，眼神却如杀伐果断的王者，狠得令人发怵：“今天你不在这里弄死我，明天我会让你生不如死！”

舒雅南倒吸一口冷气。

大兄弟，你现在受制于人，不要那么嚣张好吗？这是找死啊！

绑匪看着宫垣的眼睛，没来由身子颤了一下，骨子里钻出细密的寒意。

他表情几番变化，移开脚，呵呵笑道："我们求财不索命，只要你乖乖配合，让你的人送一千万来，我保证你和你女人平平安安回去。以后大路朝天各走一边。"

宫垣被人扶着坐在椅子上。

即使嘴角渗着血丝，身体被绑在椅子上，他依然带有强者的倨傲，眉目凌厉，冷声道："我从不受人威胁。"

绑匪的目光来回游移，落在了舒雅南身上。他咧嘴一笑："你不听话，就别怪我们拿你女人开刀了。"

舒雅南不安地挣扎着，眼里满是惶恐。

管我什么事！大哥我只是路人！我是路过打酱油的啊！

宫垣冷笑，无动于衷。

绑匪走到舒雅南跟前，扯掉她嘴上的胶带，狞笑道："怪只怪你男人无情无义，先拿你泄个火。"

舒雅南的运动外套被扯开，她疯狂地挣扎着："滚开！滚——放开我——"男人凑到她脖颈间啃起来。"放开我——"舒雅南慌了神，拼命尖叫，"宫垣——救我——救救我——"

宫垣眉头紧紧蹙起，血丝布满眼球，眼前的一切变得模糊不清。

影影绰绰的画面，忽然溅出一片血红……

"圆圆……圆圆……"女孩的叫声在耳边响起，一声又一声，冲破时光的洪流，从很久很远的以前涌过来，"圆圆……救我……救我……"

宫垣表情扭曲，呼吸急促，整张脸煞白，身体发出一阵阵的抽搐。

“以后圆圆来保护我……”

“我不疼……真的不疼，圆圆别担心……”

宫垣在椅子上奋力挣扎起来，眼前的世界一片混乱，翻覆得令人作呕，四下充斥着炸裂耳膜的喧嚣，体内有个魔鬼在往外冲撞。

不！……谁也别想取代我！

男人黑色的瞳孔时而扩张时而紧缩，脸部肌肉抽动着。

绑匪看到他的表情变化，得意扬扬地道：“还要考虑吗？”

宫垣突然垂下头，一动不动。

“老大，这小子好像受不了刺激昏过去了。”

“管他的……先让老子爽了再说……”沉浸在美人香里的绑匪头子含糊应道。

“圆圆以后要做一名绅士，这样才讨女孩子喜欢。”

“我只要你喜欢。”

“那圆圆做我英勇的骑士好不好？”

“好。”宫垣薄唇轻启，魅惑的男人声线与脑海里稚嫩的童音重合。

他缓缓地抬起头，眼底一道暗光闪过，微扬的嘴角透出令人毛骨悚然的血腥气。他双臂奋力一挣，绑着他的绳子断开了。

绑匪掀开舒雅南里面的运动衫，手掌刚要摸上去，一条长腿突然横在眼前，屈膝，击向他的面门，身体“砰”地倒地。宫垣抬脚踩在他手上，一下一下“咔嚓”作响，五根手指指骨尽数断裂。

舒雅南脱离险境，急促地喘息。宫垣脱下身上的西装外套，手一扬，外套覆在了舒雅南身上。

其他人虎视眈眈地围上来，宫垣不疾不徐地解开袖扣，挽起袖子，看向舒雅南，勾唇一笑：“稍等。”

片刻后，随着分筋错骨声和凄厉的惨叫声，这间破旧阴暗的仓库里只有宫垣一个人是站着的，那群绑匪要么昏死过去，要么满地打滚。

宫垣转过身，看向舒雅南。

舒雅南瘫软坐在椅子上，刚刚打斗的场景，他可怕的杀伤力，对她造成了强烈的冲击。那已经不是普通人的能力，就像电视上身经百战的特工，跟在公园外被人围攻时判若两人。

男人走到她跟前，俯身，染血的手掌轻轻抚上她的脸庞。

他看着她，笑容温柔，波光潋滟的双眼似要看透她的灵魂。

他对她说：“雅雅，你终于叫我了……”

轻轻的声音，如一声悠远的叹息：“我等了你很久、很久。”

舒雅南双眼一闭，昏过去了。

舒雅南醒来时，发现自己躺在一张水床上，环顾四周可以看出是酒店的高级套房。下了床，她发现身上换了一件舒适的睡袍。

“醒了？”柔和的声音，由房间一角传来。

舒雅南扭头看去，只见一个男人坐在沙发上。

这是……她用力眨了眨眼，宫垣？

她还记得他之前穿着一身黑西装，头发梳成一丝不乱的大背头。而此刻坐在沙发上的人，一身中世纪风格的白色礼服，头发柔软蓬松地覆落在额头上。

男人双腿交叠，手臂搭在沙发扶手上，双手戴着白手套，姿态优雅。

如果说之前的他帅得气势万钧，现在的他则美得明艳优雅。

画风截然不同啊！

见她看着他，他眨了一下眼。

舒雅南被那一眼电得差点回不了神。

他满意地笑了，起身走向舒雅南。一步之遥时，他执起她的右手，弯腰，低头，轻吻她的手背："雅雅，我一直在等你。"

舒雅南眼里涌出欣喜："你相信我的决心，愿意继续做我的粉丝西凡，对吗？"

男人抬起头，正色道："我不是西凡。我叫轻音。"

舒雅南内心凌乱了，你是有多喜欢给自己取小名？

"记住，我是轻音。"他直直凝视她的双眼。

他的眼神太过认真，温柔中透着郑重，舒雅南只得轻轻点了点头："轻音。"

识时务者为俊杰，他喜欢取小名她就跟着叫呗。

"谢谢你愿意继续相信我！当年是我无知又轻率，伤害了粉丝的心。以后不会了，我在努力唱歌演戏，我一定会再次红起来！"

正说着，房门突然被推开，房内涌入十几名西装男子。

其中一个戴着金边眼镜的中年男人疾步上前，紧张地问道："少爷，您还好吧？"

当他想要靠近时，宫垣别过脸，斜了他一眼。他蓦地僵立原地，这眼神是怎么回事？

他上下打量了一番宫垣的外形和穿着，又看了看舒雅南，试探性地开口："宫总？"

宫垣不置可否，弯唇一笑，优雅中带着高远的距离感。

男人双腿一软，一掌拍上额头。

又出新款了！

才遭受绑架的舒雅南，满含戒备地看着他们："你是谁？不说清楚我就报警了！"

眼镜男说："敝姓陈，宫总的秘书，陈墨。"他指向一旁为首的黑西装男人说，"这是宫总保安组李组长。"

一辆香槟色加长林肯在新世纪娱乐大楼前停下。前后夹道护送的车子里，数十名身穿黑西装的保安鱼贯而出。林肯车门被拉开，宫垣的大长腿迈出。

天朗气清，万道金光洒下。下车的那一刻，他微微扬起脸，享受着阳光和微风。

转过身，他对车内伸出手，举止优雅，面容含笑。

舒雅南有些不好意思，搭上他的手，被他扶下车。

宫垣的步伐不快不慢，舒雅南恰好能从容不迫地跟在他身边，两人并肩往大楼内走去。

前来迎接的新世纪总裁张华，瞧着走进旋转玻璃大门的宫垣，眼珠子快要掉下来了。不仅是他，其他同行的新世纪高层纷纷用力眨眼，确定不是自己眼花了。

向来以一丝不苟的大背头示人的宫老板，今天居然做了这么洋气的发型？他居然还穿着英伦风的白西装戴着白手套，一身白花花的，白得闪瞎人眼。

他脸上居然还……挂着笑？！

这不科学啊！他们宫大老板是众所周知的珠穆朗玛山脉啊！

高冷！很高，很冷！

他永远不苟言笑，永远表情肃穆，永远一身黑西装。

宫垣走入大楼内，来往的职员们忍不住纷纷回望，尤其是女职员。以往宫总过来都是满身凌厉之气，虽然一张脸生得比出入这里的大明星还好看，但没人敢多看几眼。

现在，他居然回视了他们的注目，居然还在对他们微笑。

“天哪，要晕了……”几个女职员花痴得风中凌乱，“宫总笑了……”

“宫总对我笑了！”

“宫总他还有酒窝！”

“啊啊啊……宫总帅爆了！”

总裁张华转身斥责那些失态的女下属。宫垣走向张华，面容带笑，表情放松。张华可一点都不放松，毕恭毕敬立正站好。

宫垣说：“尊重女性，是绅士第一守则。”

张华一愣，连连点头：“是是是。”

“既然冒犯了，就要真诚致歉。”宫垣看向一旁的女职员，微微一笑。

一片芳心又被大肆收割。

张华抽着嘴角，转身上前，微笑鞠躬：“刚刚是我不对，言辞过于激烈。各位姑娘们，回岗位愉快地工作去吧。”

舒雅南目瞪口呆地看着眼前这一幕。

一次绑架，令他脱胎换骨？

新世纪大楼，顶楼会议室。

《传奇》剧组导演、监制、制片人等重量级人物悉数到场，恰好雯靖今天过来签合同，一同前来。他们听说寰亚集团少东亲自过来会见《传奇》的主创人员，有些意外，也有些激动。

宫垣步入会议室时，众人起立，鼓掌欢迎。舒雅南跟在宫垣身后，放眼看去，都是圈内台前幕后的大咖。她的目光在某处定住。

雯靖……为什么她会在这里？

因为她只是争取一个小配角，并没有关心试镜之外的角色，难道她也要参与演出？

宫垣走到会议桌前端，总裁张华恭敬地为他拉开大班椅。

他回以微笑："谢谢。"

张华激动得热泪盈眶……有生之年，居然听到宫大老板对他说谢谢！

宫垣优雅落座，众人随之坐下。张华为宫垣一一介绍主创人员，概述了这部电影的投资策划等相关内容。宫垣边听边翻阅着桌上放置的资料册。

张华话音落，宫垣合上手里的资料，站起身。

众人当即敛神屏息，静候大老板高屋建瓴的讲话。

宫垣的目光环视一圈后，落在舒雅南身上。他伸出手，朝她勾了勾手指头。顿时，所有人的目光都看向一直默默坐在角落犹如隐形人的舒雅南。

舒雅南顶着巨大的压力站起身，朝宫垣走去。

她刚走近，宫垣双手扶上她的肩膀，带着她往前一步，环视众人，说："《传奇》女一号，由她担任。"

全场鸦雀无声，众人面面相觑。就连舒雅南也吃了一惊，一脸错愕。她很清楚，这是预算几亿的大银幕巨制，她哪里有资格领衔主演？

雯靖恶狠狠地盯着舒雅南，怎么哪儿都有她，阴魂不散！

这部电影的男主角是凌岩，而她通过凌岩的引荐，担任女三号。这个黄脸婆要来担当女一号？开什么玩笑！她一个过气明星，凭什么！

制片人站起身说："宫总，女一号已经敲定由影后温情担任，双方签订了合同，相关通告和宣传都已发出。现在解约，不仅要赔偿违约金，对影片的运作推广也不好。"

“违约金嘛，”宫垣转头，看向新世纪总裁，“新世纪赔不起？那寰亚集团呢？赔得起吗？”他缓缓收住笑，语气看似漫不经心，却带着强烈的逼压之气。

张华立马道：“小损失，一切以宫总的意见为准。”

有钱就是老大！

“那这么定了。”宫垣手指敲击着桌面，说道，“马上弄合同，现场签约。”

“等等……”舒雅南举起手来。

宫垣看向她，语调轻扬：“嗯？怎么了？”

舒雅南说：“我得给我经纪人打个电话。”

当苏娜迈入会议室时，妆容明艳，意气风发。她对舒雅南暗暗竖起了大拇指，妞儿，你行！你果然行！

舒雅南总觉得这一切不太真实，好像一个虚假的泡沫，轻轻一戳就会破灭。她真的什么都没做，就是在酒店时接了苏娜一个电话，苏娜告诉她新世纪“女N号”的角色被涮了。挂电话后，宫垣问她怎么回事，她如实道来，然后……就这样了。

签约完毕，舒雅南与各位主创人员友好握手。导演笑着对她说：“非常期待你的表现。”有寰亚少东这么强大的后台，青云直上，指日可待了。

在欢快愉悦的签约过程中，只有雯靖面如死灰，身体僵硬。当舒雅南走到她身旁，导演介绍道：“这是女三号饰演者，雯靖。”

舒雅南微微一笑：“合作愉快。”

“合作……愉快。”雯靖极为勉强地扬起一抹笑，笑容干涩又僵硬。昨天她还在另一个剧组里给雯靖配戏，今天她就成了大制作电影的女主角……

这一刻，舒雅南内心得到了一丝真实的快慰。她看到了雯靖眼里的痛恨与不甘。两人交握的手掌，如同两团烈焰，只恨不得将对方焚烧成灰。

宫垣的贴身秘书陈墨静立一旁，全程拍摄签约现场。宫垣眼角余光扫过陈秘书，嘴角翘起，似笑非笑。

一行人离开会议室时，他看向陈秘书手中的DV，说："给我。"

陈秘书虽有迟疑，但在他逼压的目光下，还是交给了他。

宫垣走入自己的专属办公室，慵懒地靠在沙发椅上，打开DV，浏览里面拍下的画面。欣赏完毕，他将DV机放在桌子上，对准自己，开启录制。

"我是轻音，我待在里面十六年了。我一直在等我生命里的女神出现。她终于来了……"轻音的眼神变得迷离又危险，"有她在，这个世界才有意义。我要走出你身体里的角落，走出来，主宰这一切。"他勾唇一笑，"这就是命运，谁也无法阻挡。"

• • •

Chapter 3 Anger

他不会再寄希望于任何人。

只有他自己可以拯救自己。

雯靖在电话里告诉凌岩，《传奇》女一号由舒雅南担任时，凌岩正在国外赶拍广告。

他难以接受也无法接受这个事实。他停下拍摄，一通通电话打出去，接连得到肯定的答复。

他在电话里对经纪人咆哮："这不是胡闹吗？那个女人都退出几年了，以前也没怎么拍戏，更没演过电影！现在一跃成为女主角，还跟我搭档？这戏我没法拍了！你给我推了！"

"James，你是一个专业的演员，不要把个人情绪带入工作中。这份合约已经签了，毁约得交巨额赔偿金。新世纪公司，你得罪得起吗？"

"就事论事，她完全不适合这个角色！《传奇》女主角是一代名妓，能歌善舞，舒雅南都三十岁了，满身赘肉，她怎么演？你们当观众瞎吗？不行，我得跟导演说！他不能跟投资方一起胡闹！他得为电影负责！"

那边轻咳了几声，说道："James，连票房女王温情都被换下来了，还有什么好说的？接受现实吧。虽然你们现在分手了，但至少曾经爱过，没准搭档时会擦出不一样的火花。"

凌岩挂了电话后，不信邪地给导演打过去。

导演说："没人比我更想用温情。可是推舒雅南上来的是宫总啊，那是宫家大少爷，寰亚继承人，跺一下脚就能掀翻娱乐圈的人。"

"宫总跟舒雅南是什么关系？"凌岩皱着眉头问道。他跟舒雅南在一起几年了，对她的圈子了若指掌。她跟寰亚高层没有任何往来，更没有宫家的亲戚。

宫垣"潜规则"舒雅南？这太没有说服力了！宫垣年仅二十七岁，家世显赫，不知道多少女星投怀送抱。他怎么可能"潜规则"一个年近三十岁的过气明星？

导演说："不清楚，听她经纪人苏娜说，宫总学生时代一直是她的粉丝，就盼着她复出呢。"

凌岩觉得这个世界疯了。

寰亚集团大楼。

副总经理办公室。

通明透亮的外间空无一人。里间墙面上的大屏幕正在播放一段视频。

沙发上，宫垣脊梁僵直地坐着，脸色越来越沉。

画面播放完毕，一旁的陈墨说："他还给您留下了一段话。"

宫垣五指紧攥，骨骼间发出清晰的脆响，他咬着牙道："放。"

大屏幕上的男人与沙发上的男人有着一模一样的脸。只是，他双眼犹如万年不化的冰川，彻骨寒冷，他眼角眉梢都是风情，眼波流转间优雅又肆意。

"有她在，这个世界才有意义。我要走出你身体里的角落，走出来，主宰这一切。

"这就是命运，谁也无法阻挡。"

宫垣猛地起身，拿起桌上的文件夹，用力砸向大屏幕。

文件夹掉落在地，纸片飞舞。宫垣恶狠狠地盯着屏幕上的男人道："为什么又多了一个！"

"少爷，冷静。"陈秘书赶忙道。不过，面对这事儿，谁都很难冷静。刷了一千万块钱的卡，擅自更改电影女一号，还留下视频挑衅，之前没有哪个人格这么嚣张过。

宫垣用力吐出几口气，还是克制不住起伏的胸膛，他在室内来回踱步：“舒雅南！……是不是跟这个女人有关？”

陈秘书思索片刻，说：“当初西凡对她是偶像崇拜。至于这个新人格，确实令人费解。”

宫垣用力揉着眉心，脸上满是厌恶：“该死！”

陈秘书观察着宫垣的神色，小心翼翼地问：“明毓博士前两天回国了，要不要约个时间……”

“不用！”宫垣打断他，“新人格出现的事，不要告诉她！”

“可她一直是您的主治医师，对您的情况比较了解，或许她能发现这次情况的端倪……”

宫垣猛然回头，眼神凌厉：“陈秘书，听不懂我的话吗？”

就在此时，办公室的内线电话响起。

“宫总，明小姐……”话还没说完，女秘书的声音被打断，另一道低柔婉转的音色响起：“垣垣，我回来了，就在你办公室外面。”

宫垣走出了办公室内的休息间。

办公室外间，一名身材修长的女子，站在落地玻璃窗前。听到脚步声，她回过头，冲宫垣扬唇轻笑。

她穿着米白色风衣，纤细的双腿包裹在铅笔裤里，裸色高跟鞋使她高挑的身材显得越发修长，蓬松的棕色短发，带有轻熟女的性感。

宫垣坐入大班椅中，不冷不热地说道：“你的身份出现在这里不合适。”

“工作时我是医生，但在你这里，我是你女朋友。”明毓柔声道。

宫垣语气冰冷：“如果我没记错，去年我们就分手了。”

明毓眼神微黯：“是，分手了十一个月零五天。”她随即扬唇一笑，“可我还是你的主治医师。为了你的秘密治疗，没有比对外宣称我是你女朋友更好的办法了。”

“我认为并不好。”宫垣表情冷漠，“我的联姻对象，不希望我闹出桃色新闻。”

“你……”明毓脸上满是难以置信，问道，“垣垣，你要出卖婚姻交换利益吗？”

宫垣修长的指尖转动着手中的钢笔，漫不经心地冷笑：“出卖？别用这么可悲的字眼。对方身家、教养、人品、相貌都堪称一流，她还能带来股价飙升，能让我顺利拿下寰亚，这样的女人，我为什么不要？”

“你怎么能出卖自己的灵魂！”

“灵魂？”他像是听到什么可笑的笑话，表情嘲讽至极，“哪一个是我的灵魂？”

男人咧着嘴角在笑，眼神沉冷又绝望，绝望到她心里泛起疼痛，她说：“垣垣，你放心，一定有治愈的那一天。”

“或许吧。但那与你无关了，明医生。十分钟后我还有一场会议。”宫垣开始下逐客令了。

明毓挤出一抹勉强的笑：“好，我不打扰了。看到你一切都好我就放心了。”她看向站在一旁的陈秘书，说，“有什么情况，及时联系我。”

陈秘书点了一下头。

女人转身离去。走到办公室门口时，她听到身后传来一声低沉的呼唤：“明毓。”

她身形停滞，顿住了脚步，失落的脸上惊喜乍现。

“以后不要叫我垣垣。按照协议，我是你的雇主，你应该叫我宫总。按照医患关系，你可以叫我宫垣。”

明毓脸色一点点变白，直至失去血色。

“这是我最后一次提醒你，谨记自己的身份。”

明毓没有回头，逃一般地仓促离开。

宫垣仰靠在大班椅中，闭上眼，表情一片死寂。

良久，他开口道：“以后明毓不得自由进出寰亚。另外，给我一份舒雅南的详细资料。”

陈秘书问：“她担任的《传奇》女一号，解约吗？”只要他想，即使这样翻来覆去很荒唐，也能轻易办到，甚至可以砍掉那个项目。

“不用。既然他的出现由舒雅南引发，我就留着这个女人。”宫垣双眼眯起，深邃的眸子里透出一股狠劲，“如果这是命运，我选择正面对决。”

两人一前一后离开办公室时，办公秘书上前递过一个精致的盒子，说道：“这是明小姐留下的。”

陈秘书将盒盖掀开，里面躺着一块古典的金色怀表。

宫垣拿起怀表，置于掌心，浓密的眼睫毛垂下，遮住了眼底的情绪。寂静中，能听见怀表“嘀嗒嘀嗒”的声音。

那时，一室静谧，光影柔和。她坐在他身边，拿着怀表对他说：“睡不着时，听听时间的声音。听到你的心跳声与它共振，你会感觉到自己的存在。”她将他轻轻抱住，“垣垣，你就是你，谁也取代不了。”

宫垣抬起头，眼底是鲜明的讥笑。他走到电梯门口，手一扬，手工制作的精美怀表坠入垃圾桶中。

陈秘书表情微微愣怔，提醒道：“少爷，这是明小姐……”

“我不会给一个女人再次背叛我的机会。”他打断他的话。

电梯门打开，他迈开长腿步入。陈秘书紧随其后。

宫垣看着全玻璃镜面电梯倒映出的自己，眼神一如既往，犹如万年不化的冰川。

他不会再寄希望于任何人。

只有他自己可以拯救自己。

舒雅南接了《传奇》女一号的事，在剧组里不胫而走。之前那些对她冷冷淡淡的人突然都笑脸相迎了。舒雅南对此宠辱不惊，依旧平静又认真地拍戏。这时候大家纷纷在私底下议论，不愧是老牌明星，淡定大气，气场十足。

最后一场戏，舒雅南在病床上过世。去世前，她叮嘱家人一定不要告诉男主角真相，伪造成她转去国外治疗。亲人们泪水涟涟，形容枯槁的她微笑着劝慰家人，坚强又洒脱。

“咔！”拍完这场戏后，导演忍不住赞道，“完美！”

至此，舒雅南在都市偶像剧《我最亲爱的你》中的戏份杀青。

舒雅南离组时，剧组为她举办了小型送别会，来去匆匆的易子涵也到场了。导演笑道：“Anya好人缘，连子涵都来捧场。”

易子涵是富家子弟，进入娱乐圈之后凭借出众的外形和优厚的资源，一路顺风顺水成为当红巨星。在娱乐圈里都是别人巴结他，他很少主动去接近谁。明眼人都看得出来雯靖有意跟他拉近关系，但他始终不冷不热，在戏里是情侣，戏外一句多余的话都没有。

当初舒雅南进组时，苏娜跟他提过，尽量跟易子涵搞好关系，他手上资源多。舒雅南不想在自己寂寂无名时抱大腿，并没有刻意跟易子涵来往。两人在片场算是点头之交。但她对他印象很不错，因为他很有礼貌，每次见到她都会主动点头微笑，伴着微微弯腰，就像晚辈对前辈问好。她都没想到，这位当红明星竟然这么懂礼貌，难怪粉丝把他夸上了天。

欢送会上气氛很好，除了雯靖，其他主创人员都来了。舒雅南在大家的起哄下唱了一首当年的成名曲。唱到副歌时，易子涵拿起话筒跟她合唱。

现场掌声愈加热烈，两人站在五彩迷离的灯光下对唱。

一曲毕，马上有人送来两杯酒，分别递给他们俩。舒雅南端起酒杯，与易子涵轻碰："没想到你会唱这首歌，还唱得那么好。"

易子涵与她碰杯，仰头将那杯酒喝干。迷离的灯光掩饰了他脸颊上飘起的绯红。

其他人嘴上在起哄，心里琢磨着，这舒雅南来头不小啊，不声不响拿下大制作电影女一号，连高冷的易子涵都这么捧场。平日里作风低调朴实，拍戏认真敬业，果然是真人不露相。导演对身旁的副导演说："等着看吧，舒雅南会东山再起，走得更高更远。"

散场后，大家喝得东倒西歪，舒雅南和易子涵都还保持着清醒。

易子涵妥善安排一切后，主动送舒雅南回酒店。

后半夜，街上行人很少，易子涵还是很谨慎，戴着口罩扣上鸭舌帽。他双手插兜，在舒雅南身边不紧不慢地走着。舒雅南跟他不熟，随便找话聊，说起他的新专辑。

"我很喜欢你那首《大明星》，很有劲。"

"真的吗？"易子涵孩子气地反问，眼睛亮了一下。

"嗯。"舒雅南认真地点头，还哼唱起来，"无所畏惧，让所有对手看好……随心所欲，你想要的明天……你就是大明星，你披戴荣光……"

易子涵在一旁跟着唱，两人兴高采烈地把一首歌唱完，舒雅南说："这首歌是你自己作词作曲，很棒喔，我很喜欢你的曲风。"

"你还打算唱歌吗？"

"唱，当然要唱！"舒雅南语气坚定地道。

易子涵的脸被口罩蒙着看不到表情，但是那双桃花眼弯了起来：“出专辑可以找我约歌。”

“真的？”舒雅南喜出望外，不等易子涵开口，马上又道，“一言为定！”

“一言为定。”易子涵语气郑重。

第二天舒雅南离组，顾不上留白和休息，匆匆投入到《传奇》的前期准备中。

《传奇》女主角是古代名妓，舒雅南必须会唱小曲跳艳舞，演绎出风情万种魅惑众生的妖娆。于是，在开机前一个月，她的任务就是夜以继日地接受训练。

她知道这部电影的男主角是凌岩，想要逃避的心被她狠狠地压了下去。

当初她为他放弃似锦前程，如今有了他给她提鞋的机会，为什么不把握？

她不仅不能示弱，还要拿出最出色的表现！

抱着这个信念，舒雅南训练时格外积极认真，有空了就苦心钻研剧本。

这天中午，精疲力竭的舒雅南从舞蹈室出来，看到餐桌上放着营养师精心搭配的午餐。她缓慢地小口小口进餐，用咀嚼增加饱腹感。

她正在细嚼慢咽时，手机响了，是一个陌生的号码。舒雅南有些犹疑地接起来。

“您好。请问是舒雅南女士吗？我是宫总的秘书。”

“陈秘书？”

“很高兴您还记得我。请问您今晚有时间吗，宫总想约您一起共进晚餐。”

宫垣来找她了……

挂电话后，舒雅南脑海中浮现出那个男人的身影……

上次签约后，他将她带到寰亚旗下的乐园游玩，说是作为粉丝为她庆祝。

他带着她坐旋转木马，在漫天繁星下，在悠扬的乐声中，她轻轻哼着歌，仿佛回到了无忧无虑的过去。

前一刻飞扬的心情，转瞬又低落下来。

身旁的他，轻轻戳了一下她的额头：“怎么了？”

“想起了以前，有次在游乐园拍广告，我坐在旋转木马上，保安围起的人墙外，有很多人……”她抬起手臂，指着远处，“像那些地方，都围满了人，他们打着横幅，大声喊我们的名字……”

舒雅南的声音渐渐低下去，她的手指以同样的姿势在空中比画，却是寂寞的姿态：“你看现在，即使在灯火辉煌处，再也没有了我的粉丝。”

“没有吗？”男人转过她的脸庞，凝视她，“你现在看到了什么？”

舒雅南愕然：“你。”

“一个被你无视的粉丝。”他眨了一下眼，眼神温柔到令人心碎，“很伤心呢。”

舒雅南被他逗笑了，心里又是满满的温暖和感激。

“谢谢你，宫……”他敛起的神色，令她迅速改口，“轻音。”

“乖。”他笑了起来，悠远绵长的调子散落在夜色中。

舒雅南心底一软，恍惚了一下。

她离开旋转木马，接着去玩其他的娱乐设施。舒雅南放声大笑，忘了这段时间以来的痛苦和压抑。

下了卡丁车，她问等在外面的人：“干吗一直给我拍照啊？”

他修长的手指再次按下快门，将她瞪着眼的画面定格。

他的目光由摄像头前移开，看着她笑。颠倒众生的脸庞，在星光下一笑倾城，舒雅南愣愣地看着他，忘了说话。这张脸的杀伤力，已经无法用语言来形容。

“因为我想留住每时每刻的你。”他冲她眨眨眼。

心在狂跳，舒雅南猛地按住胸口。长得这么帅还乱放电，要人命啊！

巨幕影院内，两人在VIP区并排而坐。整个影院内，只有他们两人。轻音说：“我不喜欢被外界干扰。”

于是，舒雅南在偌大的影厅内体验音质画质一流的土豪包场感。

放映的是喜剧片，舒雅南全程笑个不停。当画面切换到阳光明媚的六月炎夏时，影厅随之亮起，她突然转头看了身边人一眼。

他薄唇轻抿，眼睑低垂，透出难以名状的冷清。电影里的人物还在竭尽全力地耍宝搞笑，他脸上却没有丝毫笑意。

他几乎是瞬间发现她在看他，抬起头，弯唇一笑。瞬间，温柔如春风拂过，万物苏复，刚刚那一眼的悲伤就像是幻觉。

舒雅南迅速别过脸。近距离看这张脸庞，真是叫人受不住。

一部热闹的喜剧片结束后，又放了一部文艺片。经历大起大落的一天，舒雅南有些累了，意识渐渐模糊。

恍惚间，她似乎听到有个声音在她耳边说话……

“我的时间不多，但我会为你争取所有时间。

“我是轻音。记住我，不要忘了我。”

下午的课程结束，舒雅南马不停蹄赶回家。她挑选一番后，穿上白色针织连衣裙，修身的设计勾勒出她盈盈一握的腰肢，双腿笔直修长。考虑到晚上天气转凉，外搭一件小西装外套。

化好妆，舒雅南在落地镜前转了一圈。从跟凌岩分手到现在半年多了，持续的健身和美容保养，效果显著。此时的她身材苗条，皮肤白净清透，与当初判若两人。

舒雅南走出小区，一辆黑色汽车在等待，陈秘书站在车外。看到舒雅南走近，他为她拉开车门。舒雅南含笑致谢，上了车。

那天晚上她在影院迷迷糊糊睡着，醒来后发现自己在游乐园的酒店里。宫垣大概是忙去了，这期间两人一直没有联系。她有些失落，又在意料之中。作为粉丝，他为她做的已足够多，作为男人，他不可能对她有任何想法。她早就过了少女怀春的年纪，不会有不切实际的幻想。

车子在一家高档会所外停下。舒雅南在陈秘书的引领下，往二楼的包间走去。

包间内，宫垣坐在梨花木桌前，桌上放着笔记本电脑，修长的手指在屏幕上游移，处理着工作邮件。

舒雅南进入包间时，他眼皮子都没抬，依然全神贯注地处理着公务。舒雅南走到宫垣对面坐下，服务员为她沏茶。

一别大半个月，舒雅南再次打量宫垣。他又恢复了一丝不乱的大背头，一身黑色西装，领带系得一丝不苟，目光专注地盯着电脑。

头顶橘色的暖光灯与屏幕的光交会在他脸上，映出他平静到冷峻的神色。

舒雅南静静地坐着，没有打扰他。

半晌，室内一片沉默。

直到一道道精致的菜肴上桌，宫垣终于处理完手头的事情，将电脑放到一旁，抬头看向舒雅南，声线冰冷："你应该知道，新世纪是寰亚的全资子公司。"

舒雅南心里一咯噔，老板又走回高冷路线了？

"《传奇》投资预算两个亿，保底票房六个亿，预期票房十亿以上。"他看着她，说，"你有自信扛起十亿票房吗？"

舒雅南斟酌片刻，如实道来："我现在没什么人气，在演戏上也没有特别的造诣。我可能没有扛票房的能力。"

宫垣眼神中含着讥诮："无法胜任还要签约，你当寰亚烧钱给你玩吗？"

舒雅南心里一阵窝火，反击道："是宫总您一时兴起，点名让我担纲女一号。"

"我以为你行，但你说你不行。"

"我没说我不行。我有自信，我能演好这个角色。但电影票房我无法决定。毕竟我现在没有市场号召力，不能不负责任地夸下海口。"

宫垣冷冷道："不要以为签约了就高枕无忧。开机后，如果导演对你不满意，随时换人。"

舒雅南真的想不明白，为什么那天力排众议要让她当女主角的人，为什么那晚温柔体贴一笑倾城的人，又成了这副冷漠刻薄的嘴脸？

他精神有问题？间歇性神经紊乱？情绪极其不稳定？

或者……这是上位者的领导艺术？胡萝卜加大棒？

舒雅南满脑子胡思乱想，忍不住问道："你今天叫我来，就是为了给我敲警钟？"

"你可以这么认为。"

舒雅南很讨厌心里那股隐隐约约的失落感。昔日粉丝，现在是她老板，拿出公事公办的态度与她交谈有什么不对？

舒雅南起身，朝宫垣弯腰鞠躬，姿态恭敬，脸上挂着得体的笑：“谢谢宫总耳提面命的教导，我会牢记在心。”

宫垣的视线停驻在舒雅南脸上，回想下午看到的那份详细资料。

出身平民家庭，八岁时父母离异，跟着母亲生活，十六岁母亲再嫁，重组新家庭。十八岁被星探发掘，演偶像剧出道，随着偶像剧大热，一炮而红。二十岁成为火遍亚洲的女子团体Miss的队长。二十四岁淡出娱乐圈，二十六岁正式与经纪公司解约。半年前，与交往六年的前男友凌岩分手，签在新世纪王牌经纪人苏娜手下。

如果说多年前西凡对她是追星族的狂热，那轻音是为什么？难道他分裂出的新人格，对这个出身平凡历经沉浮的女人感兴趣？

饭毕，两人一前一后走出包间，正巧一个女人迎面走来，盯着他们俩。舒雅南觉得她眼神尖锐得就跟针扎在她身上似的。

对方忽而展颜一笑，说：“宫总，这就是你的未婚妻吗？”

宫垣走到舒雅南身侧，语气淡淡地道：“她不是。”

“哦？那宫总与其他女人约会，就不怕惹出桃色新闻？”

宫垣勾起嘴角，反问：“这跟你有关系吗？”

就这么来往几句，舒雅南得出了几个信息。第一，宫垣有未婚妻。第二，宫垣与眼前这个女人关系匪浅。

一道低沉的声音插入：“宫垣，跟我进来。”

一名中年男子出现在走廊上，眼神沉冷地扫了他们一眼，转身进入一个包间。

明毓低低一笑：“真是巧啊，叔叔约我来这里小聚，没想到你也在。那我先走了。”

两人擦肩而过，明毓往楼下走去，宫垣步入中年男子所在的包间。

舒雅南站在走廊上，犹豫不决。

她该怎么办？就这么走人？还是等宫垣出来跟他打声招呼？陈秘书这会儿也不见了。

包厢内，宫垣与父亲宫志诚相对而坐。两人五官神似，但长者眉眼更为锋利，宫垣的凛冽中带着几分清俊。

宫志诚："为什么拒绝明毓对你继续治疗？"

宫垣："治疗无效。"

宫志诚蓦然低喝："你一个精神病人，知道什么是有效什么是无效吗？"

宫垣脸色一沉，一言不发。

"一旦你的病被股东们知道，寰亚的继承权，你想都别想！"

宫垣依然沉默，只是紧绷的脸庞和晦暗的眼神，泄露了他此时的情绪。

宫志诚长吐一口气，说："垣儿，我们的处境没有以前那么乐观了。宫卿家的一儿一女近来表现不错，老爷子对他们很满意。虽然老爷子一直很喜欢你，但你的病是一颗隐形炸弹。一旦被公开，引起股东恐慌和股价震荡，我们就是穷途末路。"

宫垣忽而冷笑："我不在乎寰亚。"

"你不在乎我在乎！寰亚是我毕生奋斗的目标！就算为了我，你也要坐牢继承人的位置！你要不信任明毓的能力，我为你安排国际顶尖精神科医生。"

宫垣发白的唇，倔强地紧抿着。

"你没有权利自生自灭，必须接受治疗。"宫志诚撂下话，起身离开包间。

推开门时，宫垣隐忍的声音由身后传来："如果治不好呢……"

“如果一直治不好，你打算怎么办？再找个女人，生个孩子？”他表情冷漠，话里带着讥讽，“也不是没有过，可惜天不遂人愿。”

一个私生子胎死腹中，一个私生子出生后夭折，宫志诚终于信了命理师的话，接受了再无子嗣的命运，着力培养宫垣。

宫志诚顿住脚步，怒极反而平静了，沉声道：“不要对过去的事情耿耿于怀，这样被困住的只能是你自己。”

舒雅南在走廊上徘徊，包间门被推开，中年男人走出来。两人相似的眉眼，令舒雅南轻易就猜出了他的身份。她对他弯腰微笑。

宫志诚看了舒雅南一眼，又对包厢里的人说：“还有，以后少跟这种不三不四的女人牵扯，花边新闻太多，对你联姻不利。”

包厢内的宫垣豁然起身，大步走出，拉起舒雅南的手，头也不回地离去。

不三不四……不三不四……这个词在舒雅南脑海中回荡，她气得快要炸裂了。可是，这个拉拽着她的男人，似乎更容易炸裂。

他拉着她上了一辆红色法拉利，车子猎豹般飞驰而出。舒雅南忍不住发出一声尖叫，被狂飙的速度吓得心都揪起来了。

法拉利飞驰了一段后，在路边戛然停下。舒雅南还没来得及系上安全带，脑袋差一点磕在仪表台上。劫后余生的她，转头对宫垣怒道：“一车两命，出了事很好玩？”

宫垣紧紧握着拳头，手背上青筋暴起，脸色阴鸷得骇人。他一拳砸上方向盘，脑袋撞了上去。

“喂，你……”

“砰——”一声巨大的声响，伴着一阵剧烈的抖动！

停在路边的法拉利被一辆奥迪追尾了。

有人来敲车窗，骂骂咧咧地道：“怎么开车的？把车停在这儿找死呢？”

舒雅南愣了愣，赶忙推搡趴在方向盘上的宫垣：“喂，出交通事故了！”

宫垣缓缓抬起头，舒雅南推了推他：“你怎么回事啊？”

宫垣转过头，看向舒雅南。

四目相对，舒雅南愣怔。他的眼里……就像燃烧着熊熊火焰。

外面的人不耐烦地敲着车窗。

宫垣推开车门，下了车。

“怎么开车的？法拉利了不起啊？法拉利就可以乱停乱放……”

对方话还没说完，宫垣一拳揍去。

舒雅南惊呆了，明明是他不对在先，还动手打人！

对方有四个人，其中一个年长的，看看宫垣的座驾和衣着，估计他是个不好惹的主儿，想要息事宁人。他好声好气地劝着宫垣：“有话好好说，别动手啊。”

宫垣反手就是一拳，朝劝架的人揍去，眼里的滔天怒火似要烧毁天地万物。

对方彻底被激怒了，管他什么身份地位，揍了出口气再说。他们有四个人，宫垣只有一个。即使宫垣很能打，也讨不了好。

眼见局势越来越不可收拾，舒雅南赶忙拿出电话拨打110。

她脑海中一个声音在说：是他自己违章停车，不赔礼道歉，还动手打人，这样的神经病就该受点教训！又一个声音在说：这是宫垣啊，虽然反复无常，但曾经是你可爱的小粉丝西凡，还是力排众议给你女一号的轻音……

舒雅南咬咬牙，下了车。

她深呼吸一口，眼眶瞬间通红，冲入战圈，拉住宫垣，哭着道：

“老公……不要这样……就算诊断出绝症……也不该把怒火发泄在路人身上啊……我知道你不甘心，我更不甘心……我们才刚领证，就发生这种事……”

局面诡异地凝滞了。

那几人停下动作，用微妙的眼神看着他们。

宫垣表情古怪，手脚僵硬，想要甩开舒雅南。舒雅南一个踉跄，顺势倒在宫垣身下，抱着他的腿哭道：“看到你这个样子，我更难受……你要真想发泄，打我吧……打死我都行……反正你有个三长两短，我也不想活了……”

她暗暗掐着宫垣的大腿，叫你打架！叫你推我！

众人眼里看到的她，长发飘扬，泪眼蒙眬。她脸上的痛苦和哀怨，如此真切，如此绝望，闻者伤心见者落泪。

那几人前一刻满腔的怒火，此时都化为同情和心酸，其中一个情感细腻的汉子差点飙泪。有人扶起舒雅南，劝慰道：“妹子别哭，坚强点。两个人一起面对，没什么过不去的。”

一人拍上宫垣的肩膀：“兄弟，你这么年轻，有法拉利开，又有这么漂亮深情的媳妇，不能被病魔打倒。”又一人拍上他的肩膀：“哥儿几个不知道你的情况，暴躁了，你别往心里去啊。”

宫垣僵立原地，眼里的怒火凝滞，露出难以形容的诡异神情。

之前一团戾气的斗殴事件，转眼成了街头安慰活动。

当警察赶来时，看到的就是这个场面。一群脸上挂彩的人，眼泪汪汪地互相慰问，场面煽情又感人。

那几个人对宫垣握起拳头：“雄起！”

“不要放弃！”

“一定会好起来的！”

“好好对你媳妇！”

宫垣脸色僵硬。

舒雅南勾起柔弱中带着坚强，绝望中带着欣慰的微笑，哽咽道：“谢谢你们的祝福和鼓励……我们会勇敢与病魔斗争到底。”

陈秘书表情诡异地看着眼前这一幕。

这还是第一次，在 Anger 出现后，对方不是火冒三丈地叫嚣要打官司要赔钱地闹个不休，而是反过来安慰他。

一辆奔驰房车停在路边，陈秘书拉开车门，对宫垣说：“上车处理一下伤口吧。”

宫垣看都不看他，转身往另一个方向走。

陈秘书头痛不已，如果任由他晃荡，不知道又会惹出什么事端。

车内下来几个保安。他们手里拿着微型电棍，小心翼翼地尾随宫垣，似蓄势待发。舒雅南心中一惊，问陈秘书：“这是干什么？”

陈秘书道：“少爷不开心时脾气很暴躁，放任他一个人乱来会有危险。你可以带少爷上车吗？”或许这次，能够换一种方式。

舒雅南快步跑上前，拦住宫垣：“我受伤了，还是被你连累的，你该负责吧？”

她抓住宫垣的手，将他拉回来。他表情不爽，甚至隐隐上火，几欲推开舒雅南，但目光落在她眼角的瘀青上，又忍住了。

宫垣上车后，走到一个立柜前，拉开中间那个抽屉。舒雅南目瞪口呆地看着里面琳琅满目的药瓶。难道这位老板经常打架斗殴，如此方能有备无患？

他迅速拿出几个瓶瓶罐罐，又拿出纱布、绷带、镊子等工具，装在一个袋子里，随即拉着舒雅南下车了。

舒雅南被他拖拽得踉踉跄跄，走在大街上。身后一群保安，在陈秘书的指示下，不远不近地跟着。

舒雅南忍不住数落道：“你都多大的人了。就算心情不好，也不是任性的理由啊。”

宫垣一言不发，拉着她步子迈得飞快，街角有几个男人倚着摩托在抽烟。看到他们俩，争抢着吆喝道：“城南路，走不走？”“主城区，五十块钱全包。”“便宜了啊……”

宫垣走到一辆红色摩托前，将车主拉到一边。

汉子一个踉跄，稳住脚步，看着宫垣，满脸不可思议：“哟呵，衣冠楚楚的小白脸还会抢车？”

眼见宫垣跨坐上车，他急眼了，甩掉烟头，撸起袖管上前：“哥们儿，找练啊。”

舒雅南脸色一变，赶忙拉拽着宫垣：“快下来！这破车有什么好玩的！回去开你的法拉利！”

宫垣执拗地坐着，甚至转动了插在车上的钥匙，排气声响起，他捏了捏车把，好似下一刻就会飞驰而去。

这明目张胆的抢车架势，周遭几个汉子都围了过来。可宫垣有恃无恐，继续调试着摩托。舒雅南头皮发麻，不断拉扯宫垣：“为这破摩托挨揍不值啊，开这个配不上你霸道总裁的品位！”

“大妹子，说谁呢？”车主拉住舒雅南，将她往后扯了几步。那人又对宫垣说，“有种你开啊，丢下你女人，自个儿跑路？”

舒雅南无语凝噎，她觉得宫垣真的会一个人飞车而去，完全不管她。

没等宫垣做出反应，她灵光一现，赶忙道：“大哥，别急，我老板是看上你这辆车了！多少钱，我们买！”

她赶忙从背包里拿出钱包，把里面的红票子一把掏了出来，数了数，一共三十二张，她全递给了对方："三千二，够了吧？再多没有啊，我今天是掏空了现金。"说着她还倒了倒钱包。

男人乐了，嘿嘿一笑，放开舒雅南，对跨坐在摩托上的宫垣说："你媳妇很耿直，行了，这车你们开去吧。"

宫垣发动车子，看着舒雅南。那眼神……竟然像小狗看着他的主人。舒雅南摇摇头，一定是她眼花了。她认命地上了车，刚一环住他的腰，摩托车猛地冲出。

夜风呼啸而过。即使有宫垣宽阔的后背替她遮挡，两侧的风还是刮得她头发呼啦作响。

"你看着点路啊！"舒雅南大声喊道。

宫垣一丝不乱的头发被吹得凌乱，他眼里闪过快意，扯开身上西装外套的扣子，将外套脱下，随手一抛。

舒雅南眼睁睁看着西装被夜风刮跑，心疼不已。

几十万的高级手工定制款……能不能停车，让她去捡回来！

飞驰了一个小时后，摩托横冲直撞地开到了海滩，在海边停下。

谢天谢地，终于停了，舒雅南长舒一口气。

两人坐在海边，他将袋子放在地上，扳过舒雅南的身体。她刚想数落他，他拿着药水和工具，为她瘀青的眼周上药。他虽然板着一张脸，但眼神认真，动作细致，她心里突然暖了。

他投之以桃，她报之以李。舒雅南随之为宫垣处理伤口。他的情况比她严重得多，俊美的脸上多处挂彩。

"宫总，你今晚是怎么了？"舒雅南疑惑地问，他好像突然由高冷总裁变身愤怒小青年了。这种感觉……对，之前那次，被流氓围攻时就是这种感觉！沉默的野兽，浑身怒火燃烧！

更奇怪的是，被绑架那次他战斗力惊人，堪比特工。但有时候，比如刚才，就是面对一群普通人的围攻，他无法占据优势。

宫垣一言不发。

“跟你说话呢！装什么哑巴啊！”她手下力道加重，故意将蘸着酒精的棉签用力按压在他的伤处，可他还是一声不吭。

她于心不忍，老老实实为他上药。要不是跟他说过话，她有时候真觉得他是个哑巴。

海风吹来，带着潮湿的凉意。脱掉西装外套的宫垣，身上是一件单薄的白衬衣。白衬衣被海风吹得鼓鼓胀胀，他修长的脖颈和精致的锁骨，凸显出一种清瘦的单薄感。

舒雅南莫名心疼，把外套脱下，搭在宫垣身上。宫垣一愣，扯下外套。

舒雅南瞪了他一眼，再度拿起外套搭在他身上。他扯下，她搭上。两人就这么你搭我扯几个来回，舒雅南怒了，就像对付自己家不听话的弟弟，将外套蒙在他脑袋上，捂着他敲了几下栗暴。

宫垣挣扎着探出脑袋，愤怒地瞪她。宫大老板严谨的发型，经过摩托车上的高强度吹风和这一折腾，成了乱蓬蓬的鸡窝。而他的眼神，不是凌厉，不是阴狠，反倒像是小孩子在闹脾气。因此，这一瞪不仅没有杀伤力，还多出了几分喜剧效果。

舒雅南忍不住笑起来：“怒发冲冠，太形象了……”

宫垣脸上现出狼狈。他背过身，伸手折腾起自己的头发。

“越弄越糟啊，看我的。”舒雅南从包里掏出随身携带的简易化妆包，拿出梳子、镜子和定型发胶。

她蹲到宫垣身前，很有专业范儿地为他梳头发。趁他坐着不动的时候，她又将外套捡起来，搭在他身上，同时威胁道："不穿就不给你弄造型了！"

宫垣乖乖坐着没动。舒雅南将他的发型弄成平日里的精英形象，然后把镜子递给他看。宫垣眉头一皱，伸手拨弄了几下，头发又乱了。

"好吧，看来你今晚想换个发型，换个心情。"劳动成果被破坏，舒雅南也不气恼，笑眯眯为他再次梳头。她突然体会到造型师的快感了，尤其是脑袋下的那张脸极具可看性，随便换个发型都有新的惊艳感。

当陈秘书带着一群保安赶来时，看到的就是这么一幅画面。

宫垣坐在沙滩上，身上披着女式淡蓝色外套。舒雅南半蹲在他身前，为他梳头。两人的擦伤都被简单处理过。月光在他们身上静静流淌，他清楚地看到，他的眼里没有戾气。

这个暴力型人格自从出现后，没有开口说过话。

Anger蛮不讲理，为所欲为，打架闹事。每次他出现都会惹下麻烦。这是他第一次在Anger眼里没有看到戾气，Anger反倒像只温顺纯良的大型犬。

这边造型师舒雅南快要给任性的宫垣跪下了。每当她出成品，他就弄乱，等她再梳。她懒洋洋地不乐意继续了，他还会抓起她的手往脑袋上放……舒雅南哭笑不得。

重复几次后，舒雅南发现，他这是喜欢上了梳头的感觉。

宫老板你这么有钱，分分钟可以聘请一群专业梳头工啊！

舒雅南举着酸涩的手臂，为自己默默掬了一把辛酸泪。这是给了她电影女一号的大老板，是追随她多年的死忠粉，要坚持，偶像包袱不能掉。

宫垣的脑袋微微摇晃，不经意间，靠在了她胸口上。

舒雅南身体一僵，低下头，男人纤长的眼睫毛在月光下蝉翼般微微颤动。

他呼吸均匀，睡着了……

次日，宫垣豪宅，卧房内。

宫垣仰靠在床上，对面的投影仪正放着昨晚海滩上发生的事。

陈秘书站在一旁，微笑道：“很神奇吧，这是 Anger 第一次对靠近他的人没有暴力行为，看起来两人相处得很愉快。”

Anger，是他们为这个哑巴取的名字。

宫垣盯着银幕上的男女，眼神难测。

“这次 Anger 打的人，事后没有起诉，事情解决得很轻松。”

“所以？”宫垣冷冷地开口。

陈秘书斟酌道：“我觉得舒雅南不仅能与少爷的几个人格和平相处，还能巧妙地压制住他们。或许，她对少爷的病，会有帮助……”

宫垣冷笑：“你以为这是好事吗？她能跟那些怪物沟通，能跟他们发生联系！这是在向我示威！这是在告诫我，他们在不断吞噬我的生命和时间！”

宫垣猛地关掉显示屏，脸色阴沉可怖。

“他们是我人生的噩梦，是我身体里长出的肿瘤，我必须杀了他们！”

Chapter 4 西凡

我就是我，我是西凡，

西凡是自由的！

我宁愿独自流浪，

做个快乐的孤儿，

也不要做个傀儡！

《传奇》剧组召开了低调的开机新闻发布会。电影几大主演包括男一号凌岩、男二号夏岚、女二号袁若芷、女三号雯靖，都参与了发布会。外界早有所闻，新世纪娱乐与温情解除合约，重新选定最适合的女一号。众人拭目以待，想知道女一号究竟是何方神圣，可她没有现身发布会。这为神秘女郎笼上了一层引人遐想的面纱。

十一月底，《传奇》正式开机。舒雅南作为戏份颇重的女主角，第一时间进组。

当天晚上的开机宴，所有主创人员齐聚一堂，唯独缺了男一号凌岩。凌岩的经纪人来电致歉，遇到突发情况，凌岩正在努力赶来，最迟明天进组。

其实，大家关注点都在女一号身上。大家在此之前都有耳闻，温情被一个靠关系上位的过气女星取代了。传言愈演愈烈，还有说导演认定电影已毁，加之寰亚施压，被逼上梁山。

当舒雅南与苏娜一道出现时，众人的目光齐齐聚焦，接着是窃窃私语。

“很漂亮啊……不像传说中的那么不堪嘛……”

“盘靓条顺！很有味道……”

“比起当年，还多了几分成熟女人的风情！”

雯靖笑着加上一句：“难怪寰亚高层要为她勇夺女一号。”

众人随之笑起。大家都懂。

舒雅南不像刚出道的小艺人一股小家子气，也不像过气明星浑身自带霉气，俨然当红一线的气场，明艳大气，淡定自若。苏娜对她的精气神表示很满意：“甭管你现在是不是一线明星，你都得对自己说，我就是。这种自信会给你带来更多的机遇和好运。”

苏娜在圈子里混了十几年，如鱼得水。监制很给她面子，郑重介绍了她们之后，对在座众人调侃道：“当年娜娜带着Anya横扫东南亚的时候，你们连娱乐圈的门槛都还没摸到呢。”

马上有人接口道：“雅南姐的《不说再见》是我看的第一部偶像剧，那时候我还在上初中，班里同学都看疯了！雅南姐跟明哥的CP，催生了多少早恋啊！”

男二号饰演者夏岚说：“我当年也是雅南姐的忠粉呀。还记得2005年Miss的全国巡回演唱会，我给喜欢的女孩子送票，后来她成了我的初恋女友。”

舒雅南落座后，酒桌上话题围绕着她，你一句我一句，全是赞扬和吹捧，俨然众星捧月之势。舒雅南对这浮夸的局面不太适应，可她看到雯靖的强颜欢笑，心里又爽了。

饭局结束后，苏娜对舒雅南说：“我明天就要走了，助理会打理你的一切，你要拿出最好的状态，把戏拍好。另外，有空了练练歌。等这部戏拍完，立马就上《天籁之音》。”

《天籁之音》是明珠电视台推出的一档选秀节目，也是时下最火的歌唱选秀节目。能闯过几关的选手，都能制造话题量。去年进入总决赛的四个草根歌手，如今都活跃在娱乐圈里，尤其是冠军得主，有新人王的迅猛势头。

“你得唱歌演戏两手抓，别把自己的老本行落下了。”

“嗯，我明白。”

回到酒店后，舒雅南躺在床上贴了张面膜补水。直到现在，她还有种强烈的不真实感。她拿出手机，想对宫垣致个谢，发现自己连他的手机号都没有。距离上次在警局走了一圈，他们又是半个月没联系了。

舒雅南将手机甩到一边，调侃道：“大腿不是你想抱，想抱就能抱啊。”

次日。化妆间内，舒雅南坐得笔直，化妆师在她脸上纵情挥洒，连连赞叹：“瞧瞧这肤色，干净清透，白里透红，底妆都不能涂厚了。”

舒雅南听得笑眯眯的。谁说女人三十豆腐渣？只要用心保养，好好锻炼，一样白皙水灵。

上妆后，她换了一套中国红无袖对襟手工钉珠丝绒旗袍，复古的风格，张扬的色彩，艳丽逼人。尤其是旗袍的束身收腰设计，将她傲人的胸围和纤细的腰肢勾勒得淋漓尽致。

视线上移，小巧白皙的鹅蛋脸，桃花眼微微上挑，似醉非醉，飞扬的眼线，将眼底的魅惑演绎到极致。秀挺的鼻梁下，烈焰红唇，美得夺人心魄。

当舒雅南站在镜头前，工作人员都屏住了呼吸。

她比曾经试镜的温情，更有绝色妖姬的感觉！

凌岩与助理进入摄影棚时，舒雅南正在拍摄定妆照。

凌岩的目光定格在舒雅南身上，愣住了。

他身旁的助理张大了嘴巴说：“这……这是……”作为凌岩的贴身助理，他以前自然见过舒雅南。那时她都是居家休闲打扮，未施粉黛，笑意盈盈，看着舒服，与之相处也惬意，但跟“惊艳”这个词的距离有一个银河系那么遥远。

凌岩完全愣在原地，造型师不停地对他招手他都没发现。还是回过神的助理推了推他，才让他反应过来。

走了几步，他又频频回头，看着舒雅南。

这个女人怎么会变化这么大？这还是曾经那个枕边人吗？

凌岩上妆后，舒雅南的定妆照已经拍完。两人狭路相逢，一时间谁也没有开口说话。

凌岩没有参加昨晚的开机宴，大家只当他们还不认识，有人介绍道："岩哥，这是你的搭档，女主角Anya。"怕他不认识，那人特地加了一句，"她可是当年火遍东南亚的Miss组合的队长。"

"幸会。"凌岩伸出手，笑容完美得无懈可击，"合作愉快。"

舒雅南伸出手，虽然很想照着他的脸抽去，但她克制了这股冲动，与他的手握上："合作愉快。还请凌老师多指点。"

"谈不上指点，互相学习。"他风度翩翩，颇有影帝的谦和大气。

舒雅南抽出自己的手，说道："凌老师您忙，我就不打扰了。"

她转过身，快步离去。

她终究比不过他，不像他那么云淡风轻，丝毫无所谓。

舒雅南一整天都绷紧了神经，直到晚上回酒店才长舒一口气。她努力甩开凌岩的阴影，将全部心思投入到明天拍摄的剧本里，大半夜还在看剧本，记台词，写写画画。

她被手机铃声吵醒时，天色已经大亮。她在书桌前抬起头，发现昨晚竟然迷迷糊糊地趴在桌上睡着了。

看了眼来电显示，她接起电话："陈秘书？"

"不好意思，舒雅南小姐，打扰你了。"那边稍作停顿，说，"请问，宫总联系你了吗？"

"没有啊。怎么了？发生了什么事吗？"

"宫总他……又顽皮了。这两天都不见踪影。"

舒雅南嘴角抽搐。顽皮？宫老板？

"如果他联系你，请马上通知我，好吗？"

"好的。"

舒雅南一脸莫名其妙地挂掉电话。这是怎么回事？宫垣又不是三岁小孩，怎么这么不知轻重，玩得不见踪影，让秘书到处找人？

去片场的路上，舒雅南接连打了几个喷嚏。助理在一旁不停地递着纸巾，忧虑地说：“南姐，你这是感冒了啊。”

舒雅南擦着鼻涕，心里有些烦躁。今天第一次正式拍摄，她可不能让自己出岔子被人看笑话。

偏偏事与愿违。

舒雅南在拍摄现场，头昏脑涨，之前背得滚瓜烂熟的台词，频频卡壳。

这种状态导致的后果就是，首度上镜的她，表现令导演很不满意，屡次 NG。

“眼神再魅一点！腰部摆动幅度大一些！”

“你怎么回事？怎么心不在焉的？”

“说话呀！傻站着干什么！到你的台词了！”导演气得火冒三丈。如果不是舒雅南的身份特殊，他恨不得把她骂得狗血淋头。

几番不过关，他让舒雅南去一边休息，先拍下一场戏。

助理给舒雅南送上感冒药，又摸了摸她的额头，说：“烧得有点厉害了，要不跟导演请个假？”

舒雅南摆摆手：“我先吃药吧，如今的药效都很快，说不定下午就好了。”

午休时，舒雅南去洗手间洗了把脸，用力拍打着自己。

拿出状态、拿出状态！其他事情都抛诸脑后！

下午的拍摄依然不顺利。上午的 NG 让她产生了心理阴影，还没开始就有了畏惧。而下午现场围观的人增多了，就连凌岩也来了。

舒雅南的心理压力成倍增加，头昏脑涨间，举手投足几近僵硬。

感冒药的效力不仅没让她状态好转，她反而昏昏沉沉，很想睡觉。

“不会演戏就别来浪费大家的时间！”导演是个暴脾气，朝舒雅南吼道，“你以为整个剧组都在陪你玩吗？”

围观的人交头接耳，议论纷纷。雯靖站在凌岩身边，幸灾乐祸地笑：“以为把脸整整就能出来混。这才开拍，就被打回原形了。”

凌岩皱起眉头，语气淡淡地道：“她没有整容。”

舒雅南知道大家都在看她的笑话，可她已经无力扭转局面，只想找个地方躺下来，什么都不管，好好睡一觉。导演实在看不下去，把她换下场。

她赶忙找了个休息室睡觉。

她一觉醒来后已是暮色四合。舒雅南坐起身，发现自己身上搭着的外套上又盖了一层薄毯。视线一转，她看到了坐在对面的凌岩。

凌岩说：“拍不下去就别勉强自己。”

她不作声，他又道：“都退出娱乐圈六年了，何必回来蹚这浑水？”

她藏在外套里的手握着，指甲扎进了手掌心。

“你是缺钱吗？”凌岩又问，“经济上有困难跟我说。我们在一起六年，就算分手了，也还是亲人。”

舒雅南看着他，脸上徐徐绽开一抹笑：“你要我放着《传奇》女一号的高额片酬不要，跟你伸手乞讨？你是脑残呢还是把我当脑残？”

凌岩表情明显不悦：“说话不要这么刻薄。我是真心实意为你好。”

休息室的门被推开，雯靖走进来，拉起凌岩的胳膊娇嗔：“人家到处找你呢，原来跑这儿来了。你可是答应了今晚要陪我一起吃饭的。”

凌岩看向舒雅南：“一起去吃饭，吃完了回酒店好好休息。明天还没好起来就跟导演请假。”

雯靖眼里闪过掩不住的嫉恨，脸上依然挂着甜美的笑：“南姐不要压力太大了。这么多年没演戏，找不到感觉很正常。要不今晚我陪你对对戏？”

舒雅南呵呵一笑：“我身体不好，得好好休息，哪能让一些糟心的东西在跟前转悠，坏了心情。你们慢走，慢吃，我就不奉陪了。”

凌岩脸色微变，但他克制住了不悦，语气淡淡地道：“那我们走了。你好好休息。”

舒雅南看着两人的背影，雯靖冷不丁一回头，对上她的目光，眼里满是挑衅之色。

舒雅南突然开口：“对了，你刚刚问我是不是缺钱……”

凌岩脚步顿住，回过头看她：“如果有需要，尽管开口。”

舒雅南睨着雯靖瞬间变了颜色的脸，微笑道：“不，我是想告诉你，这种事就不用你操心了。你难道不知道，寰亚少东宫垣是我的后台？背靠这样的金主，我会缺钱？他随便给我的零花钱，都比你一部片酬要高得多。”

凌岩面色倏然一沉，冷冷道：“你真是被他潜了？”

“潜？你用错词了吧。宫总没有结婚，也没有交往多年的女朋友。人家可是清清白白的钻石王老五，黄金单身汉，怎么是潜呢？我们是光明正大地谈恋爱哦！”舒雅南明媚忧伤地发出一声轻叹，“我都说自己没什么银幕经验了，他非得要我来演什么女一号，还说什么只要我开心就好。遇到这么任性的男朋友，我也没办法啊。”

休息室外，舒雅南的助理乐乐端着打好的饭菜过来，走到门边，发现一个男人倚在墙边。她往室内看了看，影帝凌岩和雯靖都在。

她刚要进去，手臂被男人拉住了。男人抬起头，将手指压在唇边，对她做了一个“嘘”的手势。

助理猛然吸气，手里的饭菜都快端不稳了。

救命，这个男人好帅啊啊啊！

休息室内，舒雅南满意地看着那两人锅底般的脸色，继续道："他还非要来剧组探班。你们说，这要是大老板来了，大家压力得多大呀。我可是好劝歹劝，才没让他过来。"

雯靖脑海中浮现出那天在会议室，宫垣对她的颔首微笑……那微微一笑，足以融化冰雪，令万物回春。

她脸色变了又变后，勉强笑道："不会呀，领导亲临一线，大家高兴还来不及呢。"

凌岩沉着脸，揽过雯靖的肩膀，冷冷道："走吧。"

他揽着她走到门边，将傻愣的乐乐往边上一推，大步离去。

乐乐缓过神后，发现刚刚站在墙边的美男不见了。

舒雅南在乐乐殷勤的目光下，逼着自己吃了几口饭。其实她没什么胃口，只是不想饿着肚子让身体雪上加霜。经过一下午的休息，她精神好了很多。吃过晚饭后，她再次前往拍摄现场。今天有夜戏，不过与她无关。

路过化妆间，她听到了里面传来的声音。

"这年头演得好不如靠山好……"

"可不是，那么烂的演技，居然担纲女一……"

"我已经无力吐槽了！"

"我倒想看看导演能忍到什么时候。"

这些声音里，她听出了有一个是之前一口一个南姐的女三号，还有一个说是她老粉丝的女配角。舒雅南没有再听下去，转身离开。

如果是多年前心高气傲的自己，听到有人在背后评头论足信口雌黄，她可能会当场发飙，但现在的她没有了这种棱角。而且，站在他们的角度来说，吐槽得合情合理。说到底还是自己不争气，没有表现好。

拍摄现场，正值休息时间，导演看到舒雅南，向她走来。

“身体好点没？”导演问。助理乐乐对他解释过了。

“好很多了。谢谢导演关心。”

导演点头道：“期待你明天的表现。如果一直像今天这样，这戏就没法拍下去。”

舒雅南马上道歉：“对不起导演。今天确实有点不在状态，明天一定不会了。”

导演话锋一转，放柔语气道：“你昨天的定妆照，效果就很好。我相信你能驾驭这个角色。你放轻松，不要有压力。”毕竟是寰亚太子爷的人，他不想得罪。他来跟她聊聊，就是想缓和她下午的紧张感。

舒雅南跟导演寒暄一番，又在现场观摩了一段时间后便走了。她不想回酒店，索性支开助理，一个人独自漫步。

走到湖边，她坐在长椅上发呆。导演的当众斥责，众人的私下耻笑，凌岩和雯靖的蔑视，都让她不停地反思自己。

寂静中，身后有了响动，她浑然不觉。

一双手臂突然由后方将她抱住，伴着一声欢欣雀跃的叫唤：“丫丫 SAMA——”

“啊！”舒雅南吓得尖叫。

几秒后，她停止了惶恐。

因为这个声音……

她扭过头，看向脑袋压在她肩膀上，冲她笑得一脸灿烂的人……

她瞪大眼：“宫……宫总！你怎么在这里？陈秘书到处在找你！”

“丫丫 SAMA 认错人了！我是你的死忠粉西凡！宇宙无敌护雅亲

卫队头号首领西凡大大！”

舒雅南彻底石化了。

宫大老板黏在她身上撒娇装嫩扮可爱？

这是什么节奏？

她浑身一哆嗦，猛地推开男人，跑到一边。

他猝不及防地被她推倒，跌坐在草地上。湖边道路上的灯光投映过来，舒雅南面对着他，清清楚楚地看到了他那张脸，的确是宫垣没错。辨识度这么高，这么出众一张脸，想仿造都不容易。他身上穿着休闲卫衣和牛仔裤，头发……啊哈？又换新发型了！

这次是满头金发，还烫成了微卷？

他冲她咧嘴一笑，露出一口漂亮的小白牙和两个迷人的小酒窝。

舒雅南小心肝颤巍巍的，快要被雷得魂飞天外了。

“丫丫SAMA还没认出我吗？”他抬起左手，食指在太阳穴处转动，然后往外延伸，指向舒雅南，接着又指向自己的心脏。

这是当年Miss粉丝团根据想念的手语打造出的粉丝招牌手势。

“西凡……”舒雅南动了动唇。

“对啦！”他兴奋地打了个响指。

舒雅南血气直往上涌，大步走到他跟前，目光灼灼地看着他：“所以宫总你又回到中二期了？你又要开始做我的粉丝？你决定重振我粉丝团的士气？”

过往被粉丝簇拥的场景一幕幕浮出脑海，她心潮澎湃，凝噎道：“现在粉丝都脱粉了，只有你一个……”她抛却感伤，又道，“不过，你回来了，就是最好的开始！宫总这么炫酷狂霸跩的人都重回我的粉丝阵营，我还有什么搞不定的！”

男人抗议道：“我是西凡，不是你说的宫总啊！丫丫SAMA，不要认错人了！”

“好嘛，我知道，做我粉丝的你是西凡，在寰亚集团的你是宫总。大人物嘛，要注意影响，出来当脑残粉得取个艺名。我明白、明白。”舒雅南放开他，就像抚慰孩子般拍着他的肩膀。她对这个男人的“精分”早就淡定了。可能越是大人物，不为人知的就越多，习惯就好。

谁料男人扭过头，闷声道：“丫丫 SAMA，我生气了！”

“你生什么气呀？”舒雅南凑到他跟前。

他又把脑袋扭到另一边：“我都说了，我是西凡！我不是宫垣！”

“那为什么你跟宫垣长得一模一样啊……”舒雅南不想得罪死忠粉，只能用这种委婉的方式戳破他的臆想。

“因为……”男人眼里闪过一丝纠结，然后脱口而出，“我们是双胞胎！”

舒雅南难以置信地看着他。

“宫垣面部神经坏死，怎么会有我这么灿烂可爱的笑容？”说着他还伸出两根食指，指着自己的两个小酒窝。

舒雅南被他那贱贱的表情逗笑了。

他又说：“宫垣那种活着不如死了的人，怎么会有我如此充沛的激情和对生命的热爱？”

舒雅南敛起笑容，不悦地道：“你怎么能这么说你双胞胎兄弟！”

他耸耸肩，毫无所谓地道：“我说的是事实，他自杀也不是一次两次了。”

自杀……宫垣居然自杀过？

他抬手拍上她的脸颊，说道：“丫丫 SAMA 不要再把我跟宫垣搞混了哟！我是我，他是他。”

舒雅南愣愣地点头。

的确，两个人太不一样了。他们虽然有着一模一样的脸庞，但一个犹如热烈的炎夏，一个堪比凛冽的寒冬，反差不亚于赤道和北极。

所以，高冷的宫老板的确不是追星族啊……

之前只是一场美丽的误会。

“丫丫 SAMA 看到西凡高兴吗？”西凡咧着嘴角问道。

“高兴啊！”舒雅南忍不住揉上他金色的卷发，笑道，“之前把你哥哥当成你，以为你脱粉了，还把粉过我当作奇耻大辱死不承认呢。”

“西凡是丫丫 SAMA 一辈子的忠实粉丝！”西凡就像被顺毛的狗狗一般，笑得一脸享受。

“对了，你哥哥失踪了，他秘书在到处找他，你知道吗？”

西凡脸上闪过一丝异样，很快便若无其事地说：“我跟宫垣很多年没联系了。”

舒雅南满脸诧异。

他仰起头，看着星空，语气傲然：“我才不给宫家做奴隶，待在寰亚为他们卖命。我就是我，我是西凡，西凡是自由的！我宁愿独自流浪，做个快乐的孤儿，也不要做个傀儡。”

“你……很有个性啊。”舒雅南怔忡半晌，做出结语。

次日一早，舒雅南再次接到陈秘书的电话。

“舒小姐，不好意思，又打扰你了。宫总还是没有联系你吗？”

她如实回答道：“宫总没有联系我。不过，我见到了他的弟弟。你可以联系他弟弟试试？”

“弟弟？”陈秘书纳闷地问。

“宫垣的双胞胎弟弟西凡，你不知道吗？他现在就在横店影视城。”

“哦，他啊，我知道。”陈秘书恍然大悟般应声，“谢谢舒小姐。我会联系他的。”

“不用谢，我也没帮什么忙。”

陈秘书如释重负地笑道：“没有。你帮了很大的忙。”

挂电话后，舒雅南莫名地耸了耸肩。昨晚她将西凡带回了酒店，为他开了个房间。他就像可爱的邻家小弟，还是她的死忠粉，她把他当亲弟弟般照顾。

Chapter 5 意外

我是轻音，

为你而生的轻音，

守护你的轻音。

《传奇》片场。

场记板打下。一身深蓝色旗袍的舒雅南扭着水蛇腰出现在镜头中。随着摆动的胯部，身体柔若无骨，又似撩人的野猫。

这是舒雅南与凌岩的第一次对手戏。

她走到凌岩身后，纤纤玉手扶上他的肩膀。他转过头，她顺势坐在了他腿上，柔软的身子在他怀中厮磨着。他顿在半空的手还拿着杯子，她倾身上前，红艳的唇碰上杯子。他眼里闪过一丝恍惚，将香醇的液体倒入她口中。

她凝睇着他，温软的舌尖轻轻舔舐湿润的下唇。

“如此佳酿，独斟独饮，岂不辜负。”轻软的声音，重一分则不够柔，轻一分则不够媚。飞扬的眼线下，一双桃花眼波光潋滟。

凌岩滚动着喉结，体内燃起了一股最原始的渴望，可在刹那火花燃烧后，又是重重阴郁，眼角眉梢写满了讥讽和自嘲。短短几秒钟时间，仅仅通过眼神和表情的转变，他将一个不得志的将军内心压抑的情绪展现得层次分明。

坐在他身上的舒雅南，与在场围观的人一样，被这演技震慑了。

这场对手戏，两人有着初见的惊艳，又有对彼此的轻视，一个是身居高位却被桎梏的将军，一个是沦落风尘的落魄官家后代，都不甘心于命运，却被命运玩弄于股掌之上。

导演没想到，昨天频频NG的舒雅南，今天对角色的把控非常好。虽然刚出场时走位还不够精准，但那感觉完全出来了。

现场围了不少人，嘴上说观摩学习，其实是等着看好戏。他们预设的情节是，演技拙劣的上位女星，在影帝强大气场逼压下，像个慌张的小丑，手脚都不知道往哪儿摆，几度NG后彻底惹怒凌岩。凌岩向导演抗议，忍无可忍的导演怒换女主角。

可惜，群众脑补的情景并没有发生。随着男女主角的互动，他们甚至忘了最初的心思，完全被带入戏里。舒雅南演绎出的魅惑，她轻佻又迷人的举止，不仅惊艳了凌岩，更惊艳了一干围观群众。

第一场对手戏，顺利通过。

舒雅南走到一旁去喝水，缓和紧绷的神经。与凌岩演对手戏，说不紧张是假的，但她成功地控制住了情绪的收放。

凌岩下意识地搜寻舒雅南身影，发现她站在房间一角的窗边。纤瘦的身影沐浴在阳光中，侧脸被光芒晕染得有些朦胧。

这个女人的美丽毋庸置疑，十八岁便凭着天生丽质一炮而红。在如今锥子脸盛行的娱乐圈里，她标致的鹅蛋脸，迷人的桃花眼，美得别有韵味，风情万种。

她是他的初恋，是他刻骨铭心爱上的女人。而他也在穷追猛打后，如愿以偿得到了她。可他对她的迷恋和心跳，在柴米油盐的日常琐事中渐渐消磨了。几年下来，他对她太熟悉，熟悉到她一个眼神，他就知道她想说什么，她一个转身，他就知道她要去做什么。她不再带给他激情和惊喜，只有左手摸右手的习惯和平淡。但他还是想把日子过下去。

那次她提出分手，他觉得她不知好歹。他笃定她会哭着回来求和。这六年来，她对他有多少付出，她爱他有多深，他比谁都清楚。他不信她真的能放下他。

他就在等着，她回来求和的那一天。毕竟，外面的女人都只是调剂品，他打算娶的始终只有她。

可在睽别半年后，剧组里再遇舒雅南，凌岩心里没底了。他闹不明白，为什么这个女人离开他之后，就再次变得光彩夺目起来，甚至比起几年前的青春靓丽，更多了几分岁月沉淀下来的魅力。他更闹不明白，她怎么就跟寰亚少东扯上关系了。

有些事似乎在脱离轨道，朝他始料未及的方向发展。

但他还是相信，两人六年的羁绊是剪不断的。她对他用情至深，她放不下他。

“你们俩搭档很有默契嘛。”凌岩经纪人今天也在片场，他出现在凌岩身旁，笑着道，“不愧是老夫老妻。”

“还行。”凌岩眼里浮出笑意，走到另一边。

经纪人坏笑着捅了一下他的胳膊：“如果我没记错，你们接下来有好几场激情戏，嘿嘿嘿……是不是驾轻就熟啊？”

凌岩看了经纪人一眼：“记得抽空请编剧吃顿饭。”

经纪人会意过来后，哈哈大笑。

短暂休息后，拍摄转移至外景地。这场戏在花园里进行。

各种道具和准备工作就位，凌岩和雯靖站在场中。就在场记板要打下时，工作人员的视线却被其他东西吸引了。

只见片场外围，冉冉升起几个巨大的气球，气球下挂着长长的条幅。

“丫丫 SAMA 棒棒哒！”

“丫丫 SAMA 加油！”

“Anya 沉寂六年，王者归来！”

“舒雅南是美到惊动银河系的宇宙第一美女！”

“丫丫，南瓜们永远爱你！”

红字白底，偌大的字体，看得分外清晰。巨大的气球一个接着一个，飘浮而上，分外抢眼。众人纷纷念着上面的话，随即都将目光投向舒雅南。

舒雅南嘴角抽搐，尴尬得无以复加。

导演不悦的眼神由舒雅南脸上移开，沉着脸道：“我们不拍空景，不用管这些。各就各位！”

“Action!”场记板打下。

“砰——砰——砰——”此起彼伏的爆裂声，在半空响起。众人再次仰头看去。只见那些大气球飘在片场上空时逐一爆开了，漫天五颜六色的礼花彩带碎屑撒下，还夹杂着芳香的花瓣和一朵朵玫瑰花苞……场面盛大得像是一场别开生面的隆重庆典。

众人看向半空，这画面浪漫得有点不可思议。花园中站位的凌岩和雯靖，立于漫天彩带和花雨下，就像一对大喜的新人。

拍摄现场彻底被破坏。

导演的脸黑如锅底，吼道：“哪个兔崽子干的？保安，给我把人找出来，扣下来！”

没等保安找人，罪魁祸首便自投罗网了。一身休闲装，戴着鸭舌帽和口罩的西凡，抱着超大捧的花束——足足有九百九十朵白玫瑰，跨过内场封锁，来到舒雅南跟前。

“祝丫丫 SAMA 复出拍第一部电影，大红大紫，票房大卖！”口罩挡住了他的酒窝和小白牙，但从他弯起的眉眼，可以想象出他灿烂的笑容。

舒雅南可笑不出来……

“就是那臭小子！”导演的怒喝声在一旁响起，他快步跑过来，对一旁的保安吆喝着，“给我逮住他！别让他跑了！”年过五旬的导演还是第一次身手这么矫捷，想来气得够呛。

几个保安围上前。舒雅南赶忙将西凡拉到自己身后，向火冒三丈赶来的导演解释：“导演对不起……我的小粉丝太热情了，他那个……有点没搞清楚场合……”

周围的人都在嗤笑。热情的小粉丝？不是自己安排的吧？这样大张旗鼓地让自己出风头！雯靖不冷不热地笑道：“南姐为了给自己造势，可真舍得下血本啊。”

导演怒气冲冲地吼道：“就你有粉丝！其他人没粉丝吗？这部戏里哪个演员不比你的粉丝多？每个人的粉丝都这么乱搞，这戏还拍不拍了？”

“拍不了就不拍！”舒雅南身后响起声音。西凡扯过舒雅南的手臂，将她拉到自己身后。他面对导演，同样怒气冲冲地道，“大胡子，你竟敢凶我们丫丫 SAMA！你犯了护雅亲卫队第六条铁律！凶我女神者，揍无赦！”

导演快被这脑残粉的行为气疯了，吼道：“小崽子，你存心闹事是吧？”

“单挑吧！”西凡揪掉帽子，扯下面罩，活动筋骨。

导演看着他，浑身僵硬。

西凡伸出手臂，指向导演，手心往上，勾起手指：“大胡子，过来。”

导演腿一软，差点跪下了：“宫……宫总！您怎么来片场了……”

舒雅南猛地捂住了西凡的嘴巴，阻止他说出更多惊世骇俗之语。她在他耳边小声道：“从现在开始，不要说话！”眼见他皱起眉头，她又道，“不配合我，将你从粉丝团除名！”

这招恐吓的效果很好，西凡委委屈屈地安静下来。舒雅南捡起地上的鸭舌帽，扣在他脑袋上。

双腿发软的导演，就那么目瞪口呆地看着他们。

舒雅南走到他跟前，低声道：“宫总私下来探班，不想大家认出他。”

西凡双臂抱胸，一声轻哼，抬脸望天。

导演抹去额头的冷汗，说道："这就是个误会，完全是一场误会……"想到自己刚刚叫老板小兔崽子，导演恨不得割掉自己的舌头。

"是他不好，第一次来片场，搞不清楚状态，影响了大家的工作。"舒雅南赶忙道。

片刻后，工作人员将现场清理干净，拍摄继续。而作为罪魁祸首的某人，被舒雅南拖走了。她将他教训了一番后，再次回到片场。

舒雅南感觉导演经过这次惊吓，有些不在状态了。

原定于晚上拍摄的夜戏，临时取消，剧组里的人相约去大排档吃一顿。舒雅南说要回酒店看剧本，导演走到她身边，笑道："我也要回酒店，小雅，我们一起走。"

被力邀的凌岩说："我这几天休息不好，得回酒店补觉。"雯靖马上说："我跟岩哥一起回去。"他们俩的暧昧人尽皆知，众人调侃几句便自行玩去了。

于是，导演开车，舒雅南坐在副驾驶座上，凌岩和雯靖坐在后排搭顺风车，一起回酒店。

路上，导演逮住机会说："要不把宫总约出来，就我们几个，一起去吃个夜宵？我知道有家海鲜馆子，味道那是一绝。"

舒雅南发现导演今天提到"宫总"这两个字的频率远超他平日里喊"卡"，她已经说了不少抚慰的话，也再三表示宫垣不会计较。嗯，他当然不计较，因为他压根就不知道。可导演就是放不下心来。她真心心疼导演这脆弱的神经。

舒雅南对导演说："等我问问宫总的安排，再约个时间怎么样？"

导演点头："好的好的，是我疏忽了。宫总大忙人，得提前预约。"

不多时，车子驶到酒店大门口。导演将钥匙甩给泊车小弟，四人前后步入酒店大堂。

舒雅南刚走过旋转大门，只听得前方一声高呼：

“丫丫SAMA——”

酒店大堂右侧的休息区，一头金色卷发的西凡从沙发上站起，朝她挥手。他一身英伦学院风打扮，深色格子衬衣，米白色背心，黄色格子小西装。挺拔的身材，俊美的五官，飞扬的笑容，这模样竟比品牌服装代言人更加帅气逼人。

酒店来往的客人和服务员纷纷扭头看他，眼里满是惊艳。

西凡在距舒雅南还有一段距离时停住了脚步，原地站定。他抬起右手，食指在太阳穴转动一圈，往外延伸指向乐雅，然后又指向自己的心脏。

大堂辉煌的灯光下，他像少年般，笑容灿烂，眼神明亮，对她做起这个她极其熟悉的粉丝招牌手势……舒雅南不禁弯起嘴角，心底某个角落十分熨帖。

西凡拍了三下巴掌。突然，一群男生女生从各个角落冒出来，男生穿着西凡同款制服，女生穿着短裙长袜。他们站位错落有致，手里拿着各式各样的道具，一边跳舞一边高唱《啦啦队之歌》。

载歌载舞地表演一段后，他们摆出姿态各异又分外齐整的pose（姿势），齐声高喊：“丫丫SAMA，我们爱你——”

舒雅南完全惊呆了。她身旁的导演，随后走入的凌岩与雯靖都惊呆了。

一旁的西凡振臂一呼：“我们是？”

“护雅亲卫队！”他们整齐划一地响亮回答。

“我们的口号是？”

“为雅疯狂，展翅飞翔！”

气势磅礴，震耳欲聋。

他问："我们是？"

"丫丫冬天的暖宝宝，夏天的小冰糕！"

西凡打了个响亮的手指，喊道："嗨一个！"

"耶——"所有人齐齐纵身起跳，此起彼伏的尖叫声，响彻酒店。

前一刻幽静有序的酒店大堂，此刻热闹得像是中央大舞台。围观的服务员不停地笑。来往进出的人边围观边咋舌，这年头的脑残粉真是不得了！

西凡跑到石化的舒雅南跟前，美滋滋地问："丫丫SAMA，你开心吗？"

舒雅南呵呵一笑，又呵呵一笑，拉起西凡的手："走！"

她拖着西凡的手，大步往电梯里走去，走着走着，就差点跑起来了。

妈呀，尴尬到想钻地缝了！

舒雅南将西凡一路拖上楼，带入她的套房。关上门，隔绝外界视线，她拍了拍尴尬到发烧的脸庞。

刚转过身，西凡将她抱住，凑到她跟前道："丫丫SAMA，你还没回答我的问题呢！"

舒雅南有点吃不消了。多年前西凡追星时，还像个青少年，可眼下，即使眼神看起来再单纯再率真，他也是个男人啊！二十七岁的高大英俊的男人啊！

尤其那张脸，跟高冷强势的宫老板一模一样！

她微微别开脸，问："什么问题啊？"

"你开心吗？"

"开心。"舒雅南推开西凡，将他拉到沙发旁坐下，她按着他的双肩，俯视着他，以长者的姿态语重心长地道，“但是，西凡，你做我的粉丝我就很开心了，不用浪费时间和金钱准备这些。我现在不打算走偶像路线，不在乎这些浮夸的排场。”

“这不是浮夸！”西凡据理力争，“这是热情！这些都是我对你的热情！”他表情有些受伤又有些郁闷，“丫丫 SAMA，你这是亵渎我的感情！”

舒雅南对劝导粉丝理智追星不太有经验，不知道从何下手。面对西凡的控诉，她哭笑不得，内心又异常柔软。最终，她像安抚小孩般，揉上他的发丝，眉眼弯弯地笑起来：“小西凡对不起，是我说错了，我向你道歉好不好？”

他的瞳孔被她温柔的笑靥占满。他脸色微红，眼睛眨啊眨地说：“让我亲一下，我就原谅你！”

舒雅南愣了一下。

西凡从沙发上站起身，捧起她的脸庞，对着她的额头，用力“吧唧”一下。舒雅南还没反应过来，他红着脸欢欣雀跃地跑向厨房：“我给丫丫 SAMA 做好吃的！”

舒雅南看着他的身影，又摸了摸被亲的额头，不禁莞尔。

西凡以前做小粉丝的时候，常常给她带点心吃。她倒是记得，他手艺很好。

西凡弄了一份蔬果沙拉，接着做燕麦牛奶布丁。他将一部分鲜奶煮沸，冲入燕麦中拌匀，又将剩下的鲜奶加热，加入全蛋和细砂糖，用打蛋器同方向搅拌均匀。搅着搅着，他脑袋突然晕了一下……

舒雅南坐在沙发上看剧本，看得乏了，肚子也饿了。她起身往厨房走去，说道：“小西凡，你的点心好了没呀？”

开放式格局的厨房里，厨具一尘不染，在灯光下熠熠生辉。男人僵直的背影出现在视线里，他手里还拿着瓷碗和打蛋器，可他整个儿就像是呆住了。

舒雅南从后方拍上他的肩膀："丢魂啦？"

他猛一回头，看到舒雅南的瞬间，表情就像见了鬼般。

他迅速四下看了看，又将视线落回到自己身上，左手端着瓷碗，右手拿着的不知道是什么……

宫垣手一抖，几欲崩溃。

"你傻了啊？"舒雅南顺手端起那份沙拉，叉起一颗圣女果，送入口中。

她坐到餐桌旁，一边翻着剧本，一边往嘴里送水果，念叨着："接下来几天戏份好重啊！"

宫垣深呼吸，再次深呼吸，稳住崩溃的情绪。他习惯性地想要松松领带，没摸到，低头一看，一身花里胡哨的学院装……

是谁跑来这里，跟这个女人鬼混！他还在伺候这个女人，为她洗手作羹汤？

宫垣看着眼前那堆零散的食材，脸色黑得犹如乌云压境。

门外响起了敲门声，舒雅南应了声，起身去开门。

凌岩站在门前，舒雅南一愣，又往左右看了看，只有他一个人。

"有何贵干？"她冷冷地发问。

凌岩扬起手中的剧本说道："明天有几场对手戏，为了拍摄顺利，想跟你探讨一下。"

"堂堂影帝，需要下这种工夫吗？"舒雅南讥笑，"你也别为我操心，拖不了你的后腿。"

"行，不聊剧本。那我们聊点别的。"凌岩扯开嘴角，目光往室内扫去，“刚刚那个就是宫垣？你的新欢？”

情绪已经镇定的宫垣走出厨房。他只想快点离开这个见鬼的地方，对于门边对峙的两人毫无兴趣。可他走到房中，恰好听到自己的名字，而且是跟几个不雅的词语联系在一起。

宫垣站立原地，脸色冷凝，极具压迫性和震慑力的目光，定定地看着凌岩。

两人目光相接，凌岩不自在地动了动手指，体内一股寒气到处乱窜。

舒雅南转身走向宫垣，抱着他的胳膊，甜甜地笑道：“对呀，新欢，正浓情蜜意呢。被甩掉的破鞋不是该自己乖乖滚蛋吗？”

她伸手揽上宫垣的脖子，踮起脚，朝着他的脸颊用力地“啵”了一口。

宫垣瞳孔骤缩！

她在做什么！她竟然敢亲他？！她是疯了吗？！

宫垣浑身僵硬，一动不动，脸上满是难以置信、震惊、愤怒，种种天打雷劈的表情交错变幻。

舒雅南完全没注意他的反应，耀武扬威地亲了一口后，快步走到门边，对凌岩说：“我们没有当众亲热的癖好，慢走，不送！”

说完，她用力关上房门。

看到凌岩回不过神的吃瘪表情，舒雅南爽得不行。

她转过身，只见被亲的西凡依然呆立原地。

等等……他的脸色怎么……怎么这么可怕？

被偶像亲一口，不是应该兴奋尖叫吗？他这可怕的表情，是怎么回事……

对方阴沉着一张脸，凛冽的眼神似要将她千刀万剐。舒雅南浑身汗毛直立，甚至不敢靠近他，弱弱地道："小西凡，你怎么了，别吓我啊……你这个样子，好像你哥宫垣啊！太可怕了！"

宫垣眉头一皱，背过身，不看她。

冷静……冷静！现在不能发火！如果被这个女人发现他的异常，后患无穷。

他走到沙发边坐下，双手撑着额头，心中反复默念，忍、忍、忍……

舒雅南以为他是哪里不舒服了，走到他身旁蹲下，轻声问："西凡，你怎么了？"

宫垣深呼吸，用力拍打自己的脸庞。三秒后，他放下手，抬起头，脸上挂着硬生生挤出来的笑，用矫情的语气说："谁叫你亲我，被吓了一跳呢……"

"不就是借你的脸用一下嘛，你还亲了我呢。"舒雅南轻哼，"说得好像我占你便宜一样。"

宫垣表情僵硬，心中又是一万匹野马呼啸而过！

该死的西凡，居然敢用他的身体他的嘴巴去亲女人！

"好嘛，小西凡，刚刚你帮了我一个大忙！"舒雅南双手合十，冲他笑眯眯地道，"劳苦功高！感激不尽！"

宫垣回之以呵呵。

"你笑得好冷哦。真不愧跟宫垣是双胞胎。"

宫垣再次"呵呵"，道："我这种废物，怎么能跟宫垣那种天资过人能力出众卓尔不凡的人比呢？拿我跟他相提并论，是侮辱了他，懂吗？"

舒雅南敲上他的脑袋："谁准你这么诋毁自己了！人各有志！你不爱经商不代表你就是废物啊！你哥那移动冰山和万年面瘫，哪有你这温暖的小太阳招人喜欢！”

宫垣伸手，同样敲了她一个栗暴。

舒雅南没想到这家伙居然瞬间还手，而且有点疼……她摸着脑袋，瞪眼看他。

宫垣瞥了她一眼，不紧不慢地说：“给你一个小小的警告，我哥是个记仇的人，你最好不要说他坏话。”

舒雅南小心脏颤抖了一下，后怕地说：“你可千万别出卖我啊！你哥真的很有杀伤力！……对了，导演今天被刺激得一直都神神道道的。我觉得你不扮演一下你哥抚慰抚慰他，他是好不了了。”

宫垣心里一沉。浑蛋西凡又给他捅什么娄子了！可他不能直接问，只好以委婉的方式，故作含糊地说：“导演还能被我刺激？”

舒雅南被宫垣一问一答地引导着，把今天发生的事情和导演的后续反应说了一遍。宫垣心里万马奔腾，为了不使表情露馅儿，他埋下头不看她。

舒雅南揉着他的头发嘻嘻笑道：“怎么啦？现在想起来知道不好意思了？”

宫垣皱着眉头，避开她的魔爪。他豁然起身，大步走向门边，头也不回地说：“就这样，我先走了。导演的事，我会跟我哥说，让他解决。”

“既然你哥不知道这事儿，就别麻烦他呀。你自己悄悄处理了呗。”她觉得宫垣知道了一定会大发雷霆。

宫垣碰上门把的手一顿，冷声道：“不麻烦他能怎么样？除了他谁能解决这些问题？”他深吸一口气，遏制住内心的翻腾，说，“他早就习惯为我们这些混账收拾烂摊子了！”

宫垣用力拉开门，大步离去。

舒雅南愣愣地看着男人的背影，好半晌回不过神来。

原来小西凡这么在乎他哥啊，给他哥添麻烦，会让他这么自责和烦躁……

宫垣走到酒店前台，要了一盒烟。他坐在休息厅的沙发上，接连抽了半盒烟，终于压制住了恶劣的心情，往身上一模，手机都没有。他跟酒店服务员要了电话，给陈秘书打过去。

“我现在在横店。”

“少爷，是你吗？”

“是！马上安排人过来！”

“少爷今晚就起程吗？”

“不，明天。我要见导演一面。”

挂电话后，宫垣吐出一口浊气。为那些混账收拾烂摊子的事，究竟还要忍受多久？

剧组的摄影棚搭在一座仓库里。

今天的戏份是男主角原配妻子被人利用，将女主角抓去，关在仓库里。男主角赶来救女主角，仓库里安放着定时火药。千钧一发时，男主角不离不弃，带着女主角逃离火场。两人惊险地逃过生死劫后，女主角以身相许。

今天的重点就是拍摄这场爆破戏。因为涉及爆破，全组严谨地准备着。凌岩的助理再三跟爆破师确定安全性。

仓库不远处停着一辆房车。车内，陈秘书问宫垣：“现在就把导演叫过来吗？”

宫垣点头。他打算长话短说，然后离开这个鬼地方。此时他已经恢复了正常的发色。即使时间仓促，他也忍受不了那恶心的发型，连夜去把头发染了回来。

坐在监控器前的导演，听到手机响起，表情不耐烦地接起来，在对方说了几句后，当即神色恭敬，起身四望。挂电话后，他将现场交给副导演，快步往房车走去。

导演走向房车时，车门打开。宫垣随之往外看……

他身体倏然颤了一下，瞳孔蓦地紧缩！

眼前的画面……

“轰隆”一声巨响后，硝烟滚滚，强大的气浪将那个女人炸得飞起来……

宫垣一下脱力，倒在座椅上。他眼神惶恐地盯着前方虚空，身体抖得厉害。

陈秘书发现了他的不对劲，紧张地问：“少爷，你怎么了？”

他扼上自己的喉咙，脸色憋得煞青。

“保护她……快去保护她！”

“为什么……”

“你必须保护她！这是你的承诺！”

“不……我跟她没有瓜葛……”

陈秘书惊恐地看着在自言自语的宫垣，他时而狠厉时而反斥，整个人陷入极端的痛苦和混乱中。

宫垣瞳孔紧缩如针尖，看着上方掐着他脖子的人。他有着跟他一模一样的脸庞，眼神阴骘而狠厉，仿佛流淌着最浓郁的鲜血。

他狠狠地扼着他的喉咙道：“你不配主宰这个身体！”

他艰难地呼吸，不甘心就这么被弄死，他拼尽全力挣扎：“你们这群寄生虫，依附我，蚕食我……卑劣的寄生虫！”

他冷笑，手下毫不放松：“没有我们，你活得下去吗？是你在依附我们！”

“我没有……滚……你们都给我滚……”他剧烈喘息，与他殊死相搏。

“该滚的是你！滚回你的乌龟壳里去！”他目光黯下来。

“不……我不会认输……休想控制我……”

“保护她……我要保护她！谁也无法阻挡！”他蓦然加大手劲，眼里强大到极限的欲念似无坚不摧的利器，眼底的猩红烧成了滔天火焰。一片大火燎原中，他勾起嘴角，冷声宣告，“这个身体，该由我来主宰了。”

宫垣浑身剧烈抽搐，突然趴在椅子上一动不动，就像死去了一般。

陈秘书战战兢兢地靠近他。陈秘书还没碰上他的身体，他的目光一闪，缓缓地抬起了头。

刚刚剧烈挣扎时的创伤，使他的嘴角涌出血来。他抬手，拭去嘴角血丝。

陈秘书后退了一步，惊愕地看着他：“你……你是？”

他斜睨陈秘书一眼，冷笑：“你的主子，被我关起来了。”

导演离开后，由副导演坐镇控场。一切各就各位，场记板打下。

凌岩拉着舒雅南的手从仓库内跑出。与此同时，跳下车的宫垣，与导演擦肩而过，往片场飞奔而去。

仿佛一阵风在身侧刮过，导演愣了一下。

仓库内设置的炸药，原定于凌岩和舒雅南奔出仓库外百米时实施引爆。可两人刚刚奔到门口处，背后突然传来一声巨响！

凌岩心神一凛，当即意识到大事不妙，炸弹被提前引爆了！爆炸声震耳欲聋，可怕的热浪由后方逼来。

“危险！”凌岩一声高喊，拉拽着舒雅南，跑得飞快。

火蛇迅猛逼近，滚滚硝烟，借着风势铺天盖地。凌岩用尽全力，将舒雅南往前一甩：“快跑！”

爆炸骤起时，全场的人都吓傻了。靠近仓库的工作人员，纷纷拼命往外跑。一片混乱中，没有人注意到，有一个身影，如一阵风，卷入那阵浓烟里。

舒雅南处于极度的惶恐中，周身热气逼人，快要喘不过气来，只觉天旋地转，就要支撑不住自己的身体。被凌岩往前一推时，她觉得自己完了……她已经没有丝毫力气奔跑，这次是真的难逃一劫……一心想要重回娱乐圈的她，要死在片场里了……

可是，下一刻，她落入一个怀抱中。

这个怀抱带着他，以极快的速度飞奔。身后是震耳欲聋的爆炸声，他捂着她的耳朵，不断往前跑。

远处的工作人员，看到一个男人抱着舒雅南冲出火场，凌岩紧跟着冲出火场。

最强烈的一拨爆炸，带来惊天动地的巨响，逃出危险区的舒雅南被抱着的男人扑倒在地。她被他压在地面上，只觉得整个地面都在颤动，大地轰鸣不止。

爆裂声不知何时平息，滚滚热浪裹挟着风尘而来，极度后怕和绷紧的神经，让她的世界陷入了一片混沌……

她努力地睁眼，看向上方抱着她的人……这个人的面孔模模糊糊，看不清楚。她的瞳孔时而聚焦时而涣散，虚弱地问：“我是不是……快要死了……”

“只要有我在，你不会有事！”

“你……是谁……”

“我是轻音。”

“轻……音……”

“为你而生的轻音，守护你的轻音。”

• • •

Chapter 6 危机

我喜欢你，你可以不用喜欢我。

但是你要习惯我的存在。

舒雅南睁开眼，一双黑亮深邃的瞳孔映入视线，低柔的声音随之响起："感觉好些了吗？"

舒雅南刚想要起身，他倾过身，扶着她坐起来。

舒雅南四下看了看，发现自己躺在酒店房间里。

"你的身体没有大碍，但是受了惊吓，需要好好休息。"

舒雅南看着眼前的男人，试探着问："西凡？宫垣？"

轻音皱眉："我是轻音。"

舒雅南用力拍上脑袋，轻音！对了，上次绑架事件后，醒来看到的人也说自己是轻音，他还陪她去游乐园。她以为他是宫垣，他一再否认，现在细想想，两人除了脸一样，感觉真是截然不同。

舒雅南脑海中出现了一个大胆的猜想，她问："难道……你跟宫垣还有西凡……是三胞胎？"

轻音笑了笑，伸手刮上她的脸颊："你可以这么想。"

什么叫可以这么想？舒雅南默默吐槽，除了这么想，她还能怎么想？三个长相一样，但气质和性格完全不同的人，除了三胞胎，还有其他解释吗？

"对了，西凡呢？他今天没去片场吧？他没受伤吧？"舒雅南想到西凡，焦急地连声追问。

"他已经离开这里了。"轻音表情淡淡地问，"你很在乎西凡？"

"他是我的真爱粉呀，为了我才来到横店。如果他在剧组遇到危险，我没法原谅自己！"

"不用担心，他没事。"

得到肯定的答复，舒雅南的心情放松了些。她给导演打去电话，得知凌岩受到一定程度的烧伤，目前躺在医院里，另有几个剧务受了轻微灼伤。导演说这次意外爆炸事件缘于引爆师预估错误，提前引爆，公安部门已对他们按照相关法律程序进行调查。

最后，导演小心翼翼地问："宫总他……还好吧？"

舒雅南看了一眼轻音，回道："他挺好。"她估摸着，大家把出现在片场的轻音当成宫垣了。

挂断电话后，舒雅南问出了心里的疑惑："你怎么会在片场呢？还有你……"她欲言又止。

"嗯？"他声调微扬。

"你为什么会救我？而且是在那么危险的情况下……"他们以往并无瓜葛，可他几次三番地对她那么好，舒雅南想不明白这到底是为什么。

轻音看着她，缓缓地道："因为……"

舒雅南没来由地紧张，双眼一眨不眨地看着他。

他扬起嘴角，语气变得轻快，笑眯眯地说："我喜欢你呀。"

舒雅南哭笑不得。

她这是被表白了？不对啊，不可能吧，他们不认识啊！

大脑剧烈震荡后，她找到了合理的解释："你以前也是我的粉丝对吧？你对我的喜欢，就是那种……"

"不是。"他打断她的话，笑着说，"不是你想的那样。我喜欢你，是男人对女人的喜欢，不是粉丝对偶像的喜欢。"

舒雅南不相信自己耳朵听到的。可他就那么看着她，坦然，笃定，眼神分外温柔。

舒雅南有点慌了，她几次将头发顺到耳后，又接连咽下几口唾沫，轻咳了好几声，终于开口道："那个……不好意思，谢谢你的喜欢，但是我现在不想恋爱。我还没有做好接受一个人的心理准备………我不适合你……嗯，我是认真的。"

轻音看着舒雅南，安静地听她说完后，微微一笑，靠近她。她往后退，他往前进。直到她靠上床头，他在距离她咫尺之处停住，两人鼻尖几乎相碰。她可以清楚地看到他纤长的眼睫毛和他瞳仁里一脸无措的自己。

他看着她，说："雅雅，我喜欢你。你可以不用喜欢我。但是你要习惯我的存在。"

她紧张地眨眨眼，被他的话弄得摸不着头脑："习惯？"

"对。"他柔声应道，握住了她的手，低头吻上她的手背，"习惯我在你身边。"

一股微弱的电流由皮肤表层往肌理传递，舒雅南身体轻颤了一下。她想抽出手，却被他不轻不重地握住，挣脱不了。他抬起头，笑着看她："这是我唯一的要求，不会因你的意愿而改变。除此之外，任何事，我都可以听你的话。"

舒雅南离开酒店，去医院探望凌岩。轻音陪她一道前往。对于这个突如其来的表白者，舒雅南已经没辙了。如今她对男人的示好是能避则避，根本不想有任何感情上的牵扯。可是他既温柔又绅士，还有令人无法拒绝的强势，她实在不知道该怎么处理。

病房外，舒雅南对轻音说："你在外面等我好吗？"

轻音点头。

舒雅南推开房门。凌岩仰靠在床头，敞开的病号服里是一层层缠绕的纱布。脚步声响起时，他的目光由窗外收回，看向走入的舒雅南。

凌岩将舒雅南上下打量了一番，眼里露出释然："你没事就好。"

舒雅南此刻的情绪很复杂。她记得在爆炸骤起时，是凌岩拉着她飞跑，关键时刻他用力推了她一把。如果不理会她这个累赘，他独自飞奔，可能此刻躺在医院里的人就是她了……

在此之前的任何时刻，她都恨这个作践她的心糟蹋她六年青春的男人，咒他不得好死。但是，当真的有意外发生，当他因为顾着她而受伤时，她心里竟然是难以言说的沉重……

舒雅南哽咽着开口道：“谢谢你……”

“谢什么，这是我应该做的。”凌岩说，“就算没有六年的感情，在那种危险时刻，男人保护女人也是理所应当的。”

她再次陷入沉默，不知道该说什么。

凌岩看着她，眼眶有些湿润，良久，轻声叹息：“看到你没事，真好……”

舒雅南低下头，说：“你好好休息，下次再来看你。”

她走到门边，身后突然响起声音：“下次……是什么时候？”

“有空了就来。”舒雅南拉开房门，走出去。

雯靖恰从走廊另一端走来。看到舒雅南，她快步上前，攥住她的衣襟，恶狠狠地说道：“都是因为你这个女人！该躺在医院里的人是你！如果不是你这个累赘，凌岩不会被烧伤！”

舒雅南被逼得步步后退，沉重的心情让她一句话都说不出来。

雯靖怒不可遏地扬起手，作势就要朝舒雅南脸上扇去。可她的手还没落下，就被抓住了。

轻音不知何时出现在她身侧，他抓着她那只手，她的泪水瞬间被逼出，全身软得拿不出一丝力气，痛苦地叫着：“疼……疼……”

轻音将她往后一甩，雯靖跌跌撞撞着靠上墙壁。他站在她跟前，俯视着她：“我很尊重女性，不会对女人动手。但是，如果碰了我的女人，一切都将成为例外。”

他凌厉的眼神，似一股砭人肌骨的寒流，使她瑟瑟发抖。

轻音揽着舒雅南离去后，雯靖腿一软，跌坐在地上。

这是那次在新世纪的会议上见到的宫垣吗……那时的他，笑如春风拂面，足以融化万物。但这一次，他犹如来自地狱的魔鬼……

轻音与舒雅南一道回到酒店时，陈秘书就候在房门外。

轻音勾起嘴角，伸手揉了一下舒雅南的脑袋，柔声说道："你先进去吧。"

舒雅南很识趣地进了房间，关上门。豪门纷争，她不想掺和。

轻音看向陈秘书："我们换个地方。"

酒店后花园的空地上，轻音站定，转身看向跟着他的陈秘书，轻轻一笑："可以让你的人露脸了。"

陈秘书对他毕恭毕敬地鞠了一个躬："很抱歉。"然后起身，招手，一群身着黑色西装的男子出现，将轻音团团围住。

轻音脸上是懒散和讽刺的轻笑，他环视四周，说："陈秘书，看来你很怕我。"

那些黑衣人手中的电棍开启。他们紧紧盯着轻音，蓄势待发。

陈秘书再次鞠躬："你不能继续霸占宫少的身体。得罪了。"

黑衣人齐齐扑上。

陈秘书背过身，往前走了几步，不去看那场景。背后闷哼声和骨头断裂声不绝于耳，但没人发出惨叫。这就是专业素质，用最小的噪声，最快的速度，解决问题。

片刻后，周遭一切归于寂静。

"陈秘书……"寂静中传来一声轻唤。

陈秘书脊梁一僵。

他难以置信地转过身，月光下，轻音双手插在口袋，优雅站立。

而在他周遭，是横七竖八倒下的人。他扬起嘴角，面容带笑，眼神冰冷。浸染在月光中的他，犹如一尊不容挑战的神。

他笑着走向陈秘书，陈秘书惊恐地连连后退……

轻音骨节分明的手掌，扼住了陈秘书的喉咙。他微微使劲，他呼吸困难，喘息急促。

轻音笑道："你就是这么对付他们的？想要他们消失时，将他们击昏，等待宫垣醒来……"

陈秘书艰难地发出声音："你们不能侵占少爷的人生。"

轻音一脸怜悯地笑道："我不是单纯的Anger，不是幼稚的西凡，更不是弱小的圆圆和那个傻女人……用这招对付我，不管用。"

陈秘书挣扎着说："轻音……你不能任意妄为……你们都是依附少爷而存在的……如果少爷毁了，你们也毁了……"

"你错了。他毁了，才是我的新生。"轻音眼里暗光跳跃。他凑近他耳边，缓缓道，"所以，我要让他永远不再醒来。"

"你……"陈秘书一脸惊骇。

轻音笑着说："他注定赢不了我，我有比他更强的信念。他只能乖乖地被我困住，困一辈子。"

轻音松开陈秘书的脖子，替他整了整领带，说道："这世上知道我秘密的人不多，所以我不会对你怎么样。你可以做我胜利的见证者。当然，你有抓我的工夫，不如想想怎么收拾寰亚的烂摊子。"

轻音松开手，转身离去。

月光下，他姿态优雅，步履潇洒，头也不回地挥了挥手："陈秘书，做我的敌人并不明智。好好想想你该怎么做。"

陈秘书的手掌抚上自己的喉咙，刚刚那一刻，他距离死神是那么近……

舒雅南洗完澡后，正要上床睡觉，门外忽然响起敲门声。

她打开门，轻音站在门口，对她微笑。

她诧异地问："有事吗？"

"你忘了我跟你说的？"轻音推开门，径自走入。

舒雅南愣愣地看着他的背影，脑子有点转不过来了。

她跟上他的步伐，再次问道："你有什么事情吗？没有的话，我打算睡觉了。"

轻音走到沙发旁坐下，撑着下巴看她，眨了眨眼，微笑着说："我没什么事。睡呀。"

舒雅南简直无语。她走到轻音身前，脸色紧绷，义正词严地说："请不要把我当成那种随便的女人！就算你喜欢我，也不代表我就要接受你，更不代表我……"她咬咬牙，心一横，很直白地说，"会跟你！你死了这条心吧，请你现在马上出去。"

轻音微微愣怔，旋即笑起来："你想多了。我对你没有那么多要求。我说过，你得习惯我的存在。比如，你睡觉时，我就坐在这里。"

"开什么玩笑！你一个大男人坐在这里，我怎么睡得着啊？"舒雅南快要崩溃了。

她深呼吸，努力克制着内心的不满和愤怒，说："你听着，就算你帮过我、救过我，我也不打算卖身报答你。感激是一回事，感情是另一回事。请你不要在这里胡搅蛮缠。如果你不走，我就给酒店工作人员打电话了！"

"你在生我的气？"轻音看着她眼底跳跃的火焰，问道。

"请你马上离开我的房间！"舒雅南伸手指向大门口。

"雅雅，你要赶我走吗？"他脸上有着受伤之色。

什么叫赶他走？深更半夜，他离开她的房间不是理所应当的吗？

轻音看着舒雅南，他想要站起身，可还没站直，大脑一阵剧烈的眩晕袭来。他一只手撑着脑袋，一只手扶住沙发，再次跌坐下去。

他双眉紧蹙，手臂上青筋暴起！

“谁也休想出来！”

“我要守在她身边……她需要我……”

“我没有自欺欺人……”

轻音倒在沙发上，困兽般发出痛苦的低叫。

舒雅南被他的模样吓到了，快步上前，心惊胆战地问道：“你怎么了？”

轻音颤抖的手攥住她的手腕，用力一扯，她倒在沙发上。他俯在她上方，眼睛一瞬不瞬地盯着她，眼神悲伤，声音颤抖：“为什么要赶我走？你想要我永远消失吗？”

舒雅南惶恐地看着他。他歇斯底里的表情，就像一个被逼到穷途末路的人。

舒雅南想要起身，却被他困住，她在他身下挣扎起来：“你放开我……”

随着她的挣扎，轻音脸上痛苦更甚。他强自忍受内心的痛苦，用力扣着她的双肩，喉咙沙哑地说道：“雅雅，不要拒绝我……我不想消失，接受我，用你的心接受我……”

“你放开我……”舒雅南惊慌无措，拼命挣扎。

轻音发出痛苦的闷哼，再也忍受不了，滚倒在地。

舒雅南迅速起身，躲到沙发后面。

片刻后，他喘息着扶住床沿，回过头看她，深邃的瞳孔里只有疲惫、无力以及绝望。

“如果你要我消失……我会被关在不见天日的地方，永远地被困住……”

舒雅南听不懂他在说什么，可是她能看出，他的神情是那么悲伤……那种深入骨髓的绝望，令她几近窒息……

她一步步地走近他，他痛苦的双眼一点点地燃起光亮。

还有几步之遥时，他迫不及待将她拉入怀中，就像濒死的人抓住浮木。他发颤的身体将她抱得那么紧，勒得她骨头生疼，他剧烈的呼吸在她耳畔起伏。

她没再挣扎，伸出手，轻轻抚着他的后背：“对不起，我不知道你身体不好……你要坚持住，不能被打倒。”

他在她怀里渐渐平静了下来。

良久，轻音喃喃自语，嘴角弯起诡异的弧度：“原来……是这样……”

舒雅南听不懂他在说些什么。或者说，从刚刚到现在，他嘴里不断变换语气的各种呓语，她都不懂。她仰起脸看他，轻声询问：“你好些了吗？”

轻音眼神清幽，表情歉疚：“对不起……我有独处恐惧症，一个人时就会发病。所以我希望你能陪陪我。”

他放开舒雅南，四下环视，然后拖着一把椅子走到距离大床最远的一个角落。他坐在椅子上，目光诚挚又坦然：“我就在这里坐着不动。你如果不放心，可以把我绑起来。”

他仍然是那个风度翩翩举止有礼的绅士，与刚刚发狂时痛苦到表情扭曲大相径庭。

目睹这一场惊变和他的时而强硬时而孱弱，舒雅南终于明白，他不是在开玩笑，也不是故意戏弄她，更不是想占她便宜，他好像……真的有病。

舒雅南愣愣地看了轻音半晌，说：“那……好吧，我睡了。”

“嗯。”他点头，对她微笑。

舒雅南躺在床上，房内只留一盏壁灯。她闭着眼，虽然那个人距离她很远，远到在寂静中几乎感觉不到他的呼吸声，可心里那别扭的感觉还是无法忽略。

直到后半夜，辗转难眠的她才在疲惫中睡着了。

次日，舒雅南醒来后，伸了个懒腰，坐起身。她目光随意一扫，忽然顿住，妈呀！

她这才想起来，房里还有个人。

轻音依然如昨晚般，姿态优雅地坐在椅子上，看着她微笑：“早。”

舒雅南木讷地应声：“早……”

两人一道在酒店用餐时，舒雅南忍不住问：“你昨晚一晚就坐那儿？没睡觉？”

轻音点头。

这到底是怎样一种奇怪的病啊！

用餐后，舒雅南说：“我今天会有点忙。你也忙自己的吧。”

轻音略作思忖，说道：“我认为爆炸事件不简单，可能是有人要加害于你。为了安全着想，这段时间让我做你的贴身保镖吧。”

舒雅南：“没这么夸张吧……这件事警方已经介入了。”

轻音抚额，再次思忖，说：“其实我没有工作，现在朝不保夕。你也看到了，我有奇怪的病症，不太好就业……你是艺人，属于高收入人群，应该为社会创造劳动岗位。而且，我的确能保护你。”

“开什么玩笑！你是宫家少爷啊！”

轻音揉了揉额头，编故事真麻烦。

沉默片刻后，他抬起头，表情忧郁地看她，幽幽地叹了口气："家家有本难念的经，我只能告诉你，宫家唯一的继承人是宫垣。其他人都不会被承认。"

舒雅南其实并不能理解他说的话，可是，她被他真切的表情和深深的忧郁感染了。逻辑和前因后果都不重要，她对豪门争斗也不懂，重要的是，他现在是个无家可归还患有怪病找不到工作的可怜人……

"可是你跟宫垣长得一模一样，跟在我身边，被人看到的话不好吧？"

片刻后，轻音换了一身休闲装，头上戴着贝雷帽，眼睛上戴着挡住半张脸的"黑超"，下半张脸被口罩蒙住。

他取下墨镜，对她眨眼一笑："这样没问题吧？"

舒雅南再次被他打败。

上午时，舒雅南与闻讯赶来的经纪人碰头。下午剧组召开了一次临时高层会议。由于爆炸事件的严重性，新世纪娱乐分管该项目的高层亲自赶赴。会上，众人研讨这部电影接下来的命运。

有人提出用男二号替换受伤的凌岩。马上有人反对说，如果连凌岩都被换掉，电影会完全失去市场号召力，难逃"扑街"命运。会上联系了其他几个咖位相当的大腕，偏偏很不凑巧，都没有合适的档期。

反复斟酌研究后，他们最终做出决定，项目暂时停摆。凌岩的康复期大概需要两个月。两个月后继续拍摄。

散会后，苏娜对舒雅南说："还好我早就给你安排了下一步。你也别在这里多耽搁了，我订了明早的机票，我们一起走。回去后你集中精力，为《天籁之音》做准备。"

忙了一整天后回到酒店，苏娜看向舒雅南身旁的轻音，忍不住问："这是……"

“我的临时助理兼保镖。”舒雅南无奈地笑道。

助理？气质这么卓越的助理？就算整张脸都被挡住了，存在感依然强烈到令人无法忽视。

苏娜对舒雅南露出心照不宣的微笑，说道：“那今晚好好休息，明天一早出发去机场。”跟凌岩的上一段恋情都过去这么久了，该给自己找找乐子了。

“对了，娜姐，明天的机票，还得多订一张。”

“嗯？”苏娜的目光游移在轻音身上，“哦……”

回头得提醒这个丫头，玩玩可以，不能耽误工作。

舒雅南也没多说什么。因为明天在机场，苏娜难免会看到轻音那张脸，到时候她一定会以为是宫垣。

这一晚，轻音依然待在舒雅南房间。她上床的时候对他说：“你可以睡沙发的。”

“可以睡你身边吗？”他笑眯眯地道。

舒雅南拉下脸，抄起一个枕头扔给他，训道：“得寸进尺！睡你的沙发吧！”

轻音在沙发上优雅地坐下，说：“如果不能睡在你身边，我就不睡了。”

“随你！”舒雅南一声轻哼，倒头就睡。因为有昨晚的历练，这次倒不怎么难熬了。

次日吃早餐时，舒雅南轻易就发现，轻音的神情里有着掩饰不住的疲惫，眼睛的眼白处血丝密布，眼睛下还有淡淡的黑眼圈，脸色惨白，精神萎靡。

这憔悴又疲惫的模样，为他的“男神”形象减分不少。

“你昨晚又是一夜没睡？”

轻音点头。

她忍不住问：“你为什么不睡觉啊？这都连续两天了，你不怕自己熬夜猝死？”

轻音淡淡笑道：“睡不着。”

吃完早饭后，他们与经纪人苏娜在酒店外碰头，一行出发去机场。车上，舒雅南扯下了轻音的帽子和面罩。苏娜目瞪口呆地看了半晌，说：“这……就是你的助理兼保镖？”

舒雅南干笑：“临时的……”

苏娜啥也没说，悄悄地对她竖起了大拇指。

虽然有些不可思议，但豪门大少娶自己崇拜的女星也不是没有的事。她分析着宫垣的种种行为，先是给舒雅南女一号，接着亲自到剧组探班，遇到危险时不顾一切把她从火场救出来，完了还鞍前马后伺候着……如果这都不算爱，还有更好的解释吗？

抵达机场后，苏娜将原本订的商务舱升级为头等舱，还将舒雅南与宫垣的位置订在了一起。舒雅南想说不要这么破费，苏娜搂着舒雅南的腰笑道：“苟富贵，勿相忘。”

头等舱内，舒雅南与轻音并排坐下。她突然想到异样的地方，低声问他：“你怎么会有宫垣的身份证？”

轻音想了想，说：“用他的身份会有很多便利，于是仿造了一张。”

舒雅南蓦地瞪大眼，又小心翼翼地四下看了看，凑到他耳边说：“你胆子也太大了，居然敢伪造宫总的身份证！”

轻音扯了扯嘴角。

飞机起飞后，舒雅南看他一脸倦色，忍不住道：“这趟航班有几个小时呢，你睡一会儿吧。我看你真的很累了。”

轻音揉了揉眉心，眺望窗外的云海，声音低低地说：“我怕自己睡着后……醒不过来……”

舒雅南一脸错愕：“你怎么会有这么奇怪的想法？”

“睡觉对我而言，就像是被卷入一个黑洞，我会被它困住，怎么都挣脱不了……”然后，醒来的就不再是他。

他忧郁的眼神深处，有着细细密密的惶恐，似一张大网，将他完全笼罩。舒雅南轻轻地握住了轻音的手，柔声道：“不要怕，没事的。”

虽然不知道他到底患了什么病，但她可以感受出他内心强烈的不安和惧怕。

轻音垂眸看她，伸出另一只手，覆在她手背上。

舒雅南的声音变得更轻柔了：“你要学会克服心理障碍。不然，这样下去透支的是自己的身体，过度疲惫可能会导致更严重的恐惧感。”

轻音眨了眨眼，眼底蒙了一层清浅的雾气，他侧过身，将脑袋靠在她肩膀上：“那我靠着你，好吗？”

“好的。”舒雅南应声。他就像一个疲惫又无助的孩子，让她莫名地想要照顾他，想分担他内心的不安。她轻轻抚上他的发丝，柔声道，“好好睡一觉，飞机落地后，我会叫你。”

他缓缓闭上眼：“一定要叫我……雅雅……”

“嗯。”

他轻轻的声音，好似梦呓：“我不要再沉睡在看不到你的地方……”

素白一片的世界，穿着白大褂的医生护士们来往穿梭，冰冷的器械泛着金属光泽。躺在病床上的男孩睁开眼时，他们发出惊喜的声音：

“他醒了……醒过来了……”

男孩子坐起身，表情茫然，口中呢喃着：“雅雅……雅雅……”他抓着一个靠近的人问，“雅雅……雅雅在哪儿……”

那人一脸茫然，另一个人上前说：“她妈妈把她带走了。”

“她去哪儿了……我要去找她……”他跳下床，就要往外跑去。

马上有人围了上来，将他拦住。他孱弱的身躯，无论怎么努力，都无法突破那道人墙。

又有人对他说：“她去了很远的地方，你找不到的。”

他神色惊惶，不断摇头：“不……雅雅不会走……她答应过我，一定会在我身边……”

病房门被推开，一个西装革履的男人走入，面无表情，沉声道：“她跟她妈妈走了。”

男孩愣愣地看着他。那如同审判的声音，令他浑身发颤。

“宫垣，你不能再依赖她。她不会再回来了。”

男孩愣愣地后退，愣愣地摇头，他脸上的惊惶，渐渐成了恐惧，成了无边无际的绝望……

他目光涣散，喃喃自语：“雅雅走了……她走了……她一定在怪我不能保护她……我害她流血了……流了好多好多血……她讨厌这么没用的我……所以不要我了……”

他身子蓦然颤了一下，再次跑向门边。被几个医护人员抓住时，他的动作分外激烈，整个人带着歇斯底里的疯狂：“你们放开我……我要去找雅雅……她还没有走远……我要把她叫回来……”

“宫先生，病人情绪不稳，可以给他注射少量镇静剂吗？”

男人点头。

他被他们压制在病床上，他拼命地挣扎，可无论怎么反抗，都挣不开按在他肩上的一双双手掌。巨大的恐惧铺天盖地逼来，他绝望地哭喊着："雅雅……我知道错了……我再也不会害你受伤……你不要不管我……你带我一起走……不要把我一个人丢下……我会保护你……我一定会保护好你……"

"飞机落地了，醒醒……"

"醒醒，飞机落地了，我们该下去了……"

声音似近在耳边，又似在很久以前传来，男人猛地睁大眼，带着强烈的心悸。

雅雅……雅雅是谁……

舒雅南原本在拍打他的脸庞，此刻见他醒来，终于放下心，松了一口气说："你睡觉果然够沉啊。"

飞机降落时的巨大颠簸，都没有让他清醒分毫，他像是昏过去了一般，真把她吓了一跳。

宫垣定定地看着眼前的女人，又是她……

为什么每次醒来后，看到的都是她？

"走吧，我们该下机了。"舒雅南招呼道。

宫垣随之起身。从下飞机到取行李，他始终一言不发。

上车后，她问他："你住哪儿？"

宫垣沉默。

舒雅南以为他居无定所，一声轻叹，把他带回了自己家。

别墅内，宫垣站在落地窗边，目光投向远处，眼里似有千愁万绪，又似空无一物。

午后的阳光透过玻璃窗照射进来，将他周身镀上一层光晕。可即使有最热烈的阳光，他的感觉依然是如此冷清，就像独自处于一个漫天风雪的世界。

舒雅南整理好行李后，回到客厅，对着他的背影说：“这样吧，你愿意的话，就做我的助理，主要负责日常安全工作。如果没住的地方，可以住在我家。但是你要习惯一个人睡，不能再待在我的房间。”

宫垣微微敛眉，没有回头，也没有作声。

舒雅南以为他在用沉默表达不满，又说：“轻音，我很感激你在最危险的时候救了我，所以，力所能及的地方，我一定会帮你。但有些事，你要学会克服和面对。”

宫垣点头：“好。”

这算是同意了？舒雅南觉得他好像怪怪的，但一时间又没想到是为什么。

“我要去公司了，你跟我一起过去，还是今天先休息？”她始终没把他当成真正的下属，而是一个救命恩人。

“休息。”他言简意赅地回答。

寰亚大厦顶层，不对外开放的非办公场所。寰亚的员工都知道，这是副总经理宫垣的私人休息处，但没有人上来看过。因为这是绝对的禁区。位于第八十八层的副总经理办公室，有一部电梯直达顶层。

偌大的空间内，没有任何白墙阻隔，各功能区域以浅蓝色的晶莹璀璨的水晶艺术品巧妙地加以区分。四壁和天花板可以看到流动的海蓝色液体，犹如将天空和大海装入了这个空间。当美籍华人精神科医生李海明博士刚走入这里时，也忍不住赞不绝口，他对陈秘书低声说：“很巧妙的设计，而且对情绪有舒缓镇定的作用。”

室内回荡着舒缓的轻音乐。

宫垣靠在沙发里，脸色冷凝，透着疲惫：“我从没有在那么清醒的时候被夺去身体控制权……而且是五天，比任何一次都要长。”

坐在他对面的李海明医生一边记录，一边问道：“当时的外部环境，有什么异常吗？”

“有，我看到了一个幻象，那个女人有危险……那时候我的心脏就像被人抓住了，接着我看到了那个男人。这是我第一次亲眼看到另一个人格。而他，强大到超乎我的想象……”

李医生笔尖顿了一下，问：“那么，上一次他出现的时候，那个女人在场吗？”

宫垣皱起眉头：“在。那次我们一起被绑架。”

“你能回忆出，你是在什么时候失去意识的吗？当时到底发生了什么？”

宫垣在大脑里搜寻那些零碎的记忆片段，缓缓地道：“当时……绑匪想要强暴她，她在挣扎尖叫……我体内突然有了另一个声音……我感觉到有一股力量要冲出来，我想压制他，可那个女人的尖叫就像刀子扎在我心上……”

“在此之前，轻音出现过吗？”

“没有。从来没有。我甚至不知道他的存在。”

“所以，这个女人，是他出现的触发器……”医生分析道，“尤其是当她有危险时，轻音这个人格会变得强大到压制主人格。这次是五天，下次可能是十天、半个月，接下来可能更长……”

宫垣缓缓攥拳，眼里仿佛蒙了一层寒冰：“或许有一天，我再也无法醒来了，是吗？”

李医生面色沉重地道：“在DID病例中，的确有次人格最终获得主导权的情况。”

站在宫垣身后的陈秘书满脸震惊，道：“既然那个女人是触发器，少爷只要远离那个女人，轻音就无法出现吧？”

宫垣面带嘲讽，语气淡淡地道：“就算我远离舒雅南，其他人格出现时，也会找到她。你忘了西凡是她的狂热粉丝吗？”

陈秘书瞠目结舌。

李医生道：“据我推断，轻音在你体内潜伏已久。宫先生，你要试着了解他，明白他的诉求，才能从根源上找到解决问题的办法。”

宫垣缓缓勾起嘴角：“就像商场，知己知彼，百战不殆。”

Chapter 7 告白

第一，我从不开玩笑。

第二，我没在玩，我在追求你。

这是我这辈子第一次追求女人。

再过几天就要参加《天籁之音》的海选，舒雅南被公司安排进行密集训练。虽然她晋级前二十强毫无悬念，但海选的片断会被剪辑出来在电视上播放，苏娜要求她惊艳亮相，亮一把好嗓子。

舒雅南回到家时，已经接近半夜。她刚推开门，一个身影出现在眼前，把她吓了一跳。

映着月光，她看清了这个男人的脸，方才松了口气，说："你怎么都不开灯啊？"一下午的紧张忙碌，让她忘了轻音还在她家。

她正要开灯，宫垣拉过她的手，揽上他的腰肢，身体被迫转了半圈后，她被他压在了墙壁上。

四下一片幽暗，只有皎洁的月光如瀑泻入。

他抬手，合上大门，月光顿时稀薄了许多。

他的手臂撑在她身后的墙壁上，低下头，俯视着她，低柔的声线在幽静的暗夜里带着若有似无的诱惑："你，喜欢我吗？"

"不！"舒雅南当即否认。

这暧昧的姿态让她没来由地感到紧张。该死，居然连心跳都加速了！

他在她耳边轻轻吐气："那你为什么要照顾我？为什么给我工作？为什么让我住在这里？"

"因为你救过我！"舒雅南试图避开，他却扳过她的脸庞，迫使她看着他。

他的手指轻轻摩挲着她的下巴，眼底闪着星星点点的光："你应该知道，我喜欢你。"

舒雅南目光四下游移，不敢直视他的双眼，说道："我已经说过，现在不想考虑感情的事。你不要再对我抱有想法！"她快速说完，用力推开他，逃离那令人窒息的狭窄之处。

在她转身后，宫垣的脸色一点点地沉下去。

果然，轻音他……喜欢这个女人。

宫垣三两步上前，拉住舒雅南的手，转过她的身体，俯身，用力吻上她的唇。

“唔……”猝不及防的舒雅南完全惊呆了。

她回过神后想要推开他，双手又被他反剪到身后。他突然将她扛起来，走向客厅的沙发。

舒雅南被他甩到沙发上，黑色长发凌乱地铺开。他俯身，再次啃上她的唇舌……

可她不想这么随便对待自己，即使本能的欲望被激发，她也不想沉沦。她颤抖着哑声道：“轻音……别这样……不可以……”

宫垣身体倏然僵硬，停住了动作。他的眼神在那一瞬间由迷乱回到了现实。

他站起身，背对着舒雅南，眼里满是无措。

他是怎么回事……他没想真的对她怎么样……

他不是很讨厌女人的触碰吗……他以为做这场戏会让他很恶心……

为什么他会完全控制不住自己了……

舒雅南缓缓坐起身，脸色烧红，身体发烫。有尴尬，更有无措，她咬着唇，慢慢整理自己的衣服。

宫垣深呼吸，转过身，双臂抱胸，瞪着她：“不喜欢我，身体却在迎合我，这是寂寞还是放荡？”男人嘴角勾着冷笑，眼底的讥讽毫不遮掩。

舒雅南的脸色瞬间白了。

“可惜，我连继续的兴趣都没有了。”他冷笑着，“感觉不过如此。”

“你……”舒雅南气得浑身颤抖，抄起沙发上的枕头朝他砸去，“你给我滚！”

宫垣接过枕头，随手甩掉，摆出一副漫不经心的姿态，怏怏道：“不用你说，我也要走。真是扫兴啊，泡了几天的妞儿，竟然提不起兴趣了。”他转身，走向客厅的大门处，拉开门时又说，“再见。再也不见。”

大门合上，宫垣脸上的吊儿郎当消失，表情瞬间冷凝。

他坐上自己的座驾后，给陈秘书打去电话。

“从明天开始，每天给舒雅南送花，品种越名贵越好，送到她的经纪公司。”

陈秘书有些摸不着头脑，但还是问道：“匿名吗？”

“不用匿名，就是我，宫垣。”

“少爷，你这是……”

他凝视着前方虚空，眼神聚焦，带着势在必得的凌厉，说道：“我要得到她。”

另一端，陈秘书的电话都快要握不稳了，道：“少爷……我可以问为什么吗？”

“我要她……”宫垣的手指在方向盘上轻轻敲着，嘴角勾起，“成为捅向轻音的那把刀。”

黑暗中，舒雅南静坐良久，心里的那股怒气渐渐消退后，起身去浴室，卸妆，洗澡。

没什么大不了的，她不是未经世事的少女，有反应很正常。何况对方还是个外貌英俊、身体强壮的男人，她不过是受本能驱使。

如今她已经不会被一些意外事件搅得手足无措，更不会被某个男人弄得心神不宁。舒雅南洗了个热水澡后回到房间，喝了小半杯红酒，打开轻音乐，安稳地进入梦乡。

无论发生什么事，地球依然在转。

一定要好好照顾自己。

第二天太阳升起时，她又要为了生活而奋斗。

次日，舒雅南起了个大早，驱车前往公司。《天籁之音》的海选已经进入倒计时阶段，她的训练也在紧锣密鼓进行中。不仅是声乐训练，还有形体训练和舞蹈训练。苏娜说：“你虽然不是科班出身，但有外形优势，又有当年的历练，怎么着也得出去杀他个人仰马翻。”

舒雅南惊讶地道：“现在一个草根选秀节目都得这么拼吗？”

苏娜冲她翻了个大白眼：“你当都是草根啊？都是一些在圈里沉沉浮浮不太得志的去打翻身仗。去年《天籁之音》的火爆程度堪称综艺节目之最，造了多少新星啊。”

这天下午，刚刚结束形体训练的舒雅南，与苏娜一道前往工作室，收到了一个意外的礼物。

两个身着制度套装手戴白色金边手套的女人，推着一个精致的手推车，车上是华美的礼品盒，大小就像三四层的蛋糕盒。她们掀开盒盖，一束包装堪比艺术品的鲜花呈现在眼前。即使对花卉品种不太了解的舒雅南，也能看出这捧蓝色的花束不是便宜货。

“这是送给我的？”她比较关心这个问题，“谁送的？”

“是宫先生送给舒雅南小姐的。”对方微笑着回答。

“宫……垣？”她很不确定地吐出这个名字。

对方微笑点头。

送花的人离去后，苏娜抱起那束花，嗅了嗅，深深叹息：“空运的沙漠之星，价值不下万元，不愧是霸道总裁，就连送花都透着浓浓的铜臭气息！就是这个范儿，我喜欢！”

舒雅南心里很是莫名其妙。在她的印象中，宫垣可不待见她。而且，当初她把他当成翻脸不认人的西凡，对他多有冲撞。她怎么也找不到他给她送花的理由。

算了，宫家都不是正常人。

哦，不对，除了西凡。

想到西凡，舒雅南心里浮起了淡淡的失落。这个热情的小粉丝，突然出现又突然消失，不打声招呼，也联系不上。性格跳脱的他，真是个风一般的男孩。

舒雅南本以为宫垣是有钱任性，一时心血来潮，没放在心上。谁料，第二天又有鲜花送来。接下来，每天都有鲜花且品种多样，芬芳馥郁，完全可以当作艺术品陈列起来。

一周后，整个新世纪公司的人都知道，集团大老板宫总，每天都给过气女艺人舒雅南送花。当然，现在是过气，以后就不知道了。有这么粗壮的金大腿，青云直上指日可待。消息传开后，大家对舒雅南都高看了许多，更是客气了许多。就连新世纪的高层都在认真思考，怎样让她一炮而红。

在舒雅南参加《天籁之音》海选的这天，宫垣遣人送来的是九十九束怒放的红玫瑰。虽然这次的品种最为普通常见，但那些娇艳欲滴的玫瑰上镶嵌着水滴形的碎钻，并且花束经过特殊工艺处理，能持久保持怒放姿态，不凋零，不枯萎。这一次，还附带了一张卡片。上面还有几个苍劲有力的字。

你不是孤军奋战，我一直在你身后。

落款是宫垣的签名。

苏娜惊呼："天哪！宫总的笔迹，真的是宫总的笔迹！我记得他的签名！受不了了，宫总居然还有这么文艺小清新的一面！他对你好用心啊！他都知道你今天的行程安排！"

舒雅南整个人都凌乱了。宫垣到底是要闹哪样？

虽然他的本尊从未露脸，但面对这么满城风雨声势浩大的鲜花攻势，她快扛不下去了。

海选录制结束后，城市已经华灯初上。忙了一天的舒雅南总算喘了一口气。她捋了捋思绪，去了公司一趟，然后给陈秘书打了个电话。

"舒小姐，你好。"陈秘书温润的声音响起。

"陈秘书，我想见宫总一面，可以吗？"

寰亚大厦八十八层，副总经理办公室内。

宫垣站在玻璃幕墙前，目光不知落在天际何处。厚厚的天蓝色玻璃墙外，是绵延到天际的城市灯火和漫天闪烁的星子。在浩渺夜色的映衬下，他修长的背影倍显孤寂，而这个世界就像是囚禁他的牢笼。

陈秘书在他身后，放下手机，低声说："少爷，舒小姐想约您见面。"

宫垣背影微动。

"她问你在哪儿，她说现在就过来找你。"

宫垣伸出手，撑在幕墙上，指尖轻轻敲击着玻璃道："那就让她过来。"

舒雅南开着车来到寰亚大厦后的停车场，这里是专门给寰亚高层停车的地方。她在陈秘书的指引下进来，停好车后，下车，倚靠在车旁，一边玩手机一边等待宫垣下楼。

"久等了吧？"男人的声音传来。舒雅南抬起头，宫垣就站在两步之遥处，双手插于口袋，深色西装外套着一件大衣。夜风吹过，他的衬衣领子微微摆动。

宫垣就是宫垣，虽然跟西凡和轻音是同一张脸孔，但当他站在眼前时，会让她毫不犹豫地确定，他就是宫垣。只有宫垣，才有这种漫天风雪的眼神，也只有宫垣，才有这种高冷倨傲的气质。

舒雅南将手机装回外衣兜里，抬头挺胸，立正站好，端端正正地鞠了个躬：“宫总，您好。希望我的冒昧到访没有打扰到您。”

宫垣挑挑眉，说：“你来找我，不算打扰。”

舒雅南走到车子后备厢处，掀开车盖，里面是几大捧各式各样精美的鲜花艺术品，都是宫垣这段时间送她的。花瓣在夜风中招展，一时间，四下幽香浮动。

“我很感谢宫总的心意，但这些花太过名贵，我受不起。”舒雅南微笑着道，“我还没有成为新世纪的当家花旦，怎么敢接受老板的大礼？”

宫垣走近一步，垂眸看她：“我以为我已经做得很明显了。”

“嗯？”舒雅南面带疑惑。

“我在追求你。”他定定地看着她说，“这与你的身份地位无关，是一个男人在追求自己喜欢的女人。”

舒雅南一愣，啼笑皆非地道：“宫总，你开什么玩笑？”

“我从不开玩笑。”

“可是……”舒雅南愣了愣，道，“对不起，宫总，我真的找不到你喜欢我的理由！”

宫垣再次走近一步，蓦然揽上她的腰，将她的身体拉近，低笑道：“曾经风靡大江南北的Anya，这么没有自信？”

舒雅南脸上闪过一丝尴尬。什么叫今非昔比？她就是。当年也不是没有财团小开追过她，看不顺眼的她都高傲地拒绝了。如今她的第一反应竟然是，没搞错吧？开玩笑吧？霸道总裁喜欢她？好扯哦！

舒雅南发出一声轻咳，退开一步，说道：“我不是没有自信。只是宫总您……不是一般人，被宫总喜欢，实在有些不敢当。”

“哦。”宫垣淡淡应声，扭头看向一侧的入口，说，“你看谁来了？”

舒雅南随之看去，就在扭头的那一瞬间，她的脸颊被柔软的唇瓣吻上。

舒雅南的目光看到一辆奥迪驶入，但她整个人的神志完全被侧脸的触感攫取了。几秒后醒过神来，她堪堪转回头，唇瓣被堵住……

他抱住她的腰肢，俯身低头，压在她唇瓣上。

依然是柔软的触感，这次带了几分灼热和潮湿。

一连被偷袭两个吻，舒雅南的定力不够用了。在最初的怔忡后，她一把推开宫垣，惊慌失措地往后连退几步，差点撞上车门。

舒雅南懊恼地道：“宫总……开这样的玩笑可不好玩。”

宫垣微笑着走近她：“我再重申一次，第一，我从不开玩笑。第二，我没在玩，我在追你。这是我这辈子第一次追求女人。”

他的双手撑在车子两侧，目光定定地看着她：“我喜欢你，很难接受吗？”

舒雅南被他震慑得说不出话来，只愣愣地道：“为什么……”

“一个月前的那个晚上，我们在沙滩上，你把自己的外套给我披上，你细心地为我处理伤口，你不厌其烦地给我梳头……你知道那一刻的你，有多么温柔，多么迷人吗？”宫垣深深地凝视着他，声音低低的，如梦似幻。

他的眼底犹如映入了满天繁星，深邃，明亮。他看着她说：“在你肩上睡着时，我感到从未有过的安心。那时候我就对自己说，我一定要得到你。我要用一辈子来珍惜你，疼爱你。”

舒雅南愣愣地看他，一声高过一声的心跳如擂鼓一般，无法自抑。

二十四小时前。

陈秘书说："少爷，我在网上查到一个万能公式。'完美告白 = 一个时间点 + 一件小事 + 形容润色 + 海誓山盟'。"

宫垣："比如说？"

陈秘书捧着手机念道："四年前的一个早上，你忙碌着为我准备早餐，看着你的身影，我仿佛看到了天使，美极了。那时我便默默对自己说，这就是我要用一辈子去爱去疼的女人。"

宫垣皱眉："我跟那个女人，没有什么事！"

"Anger 和她有……"陈秘书眼前一亮，说道，"少爷可以重看一下我们拍摄的 DV，寻找能够借鉴的地方。"

"你看！看了给我写！"

此时，站在宫垣身后的陈秘书暗暗吃惊。

虽然是这个句式没错，而且词是他填的，可是，之前少爷演绎时，并没有这么声情并茂啊……

他敢发誓，少爷从未有过这么温柔的眼神，即使是与前女友明毓在一起时。

奥迪车上走下来的女人，妆容明艳的脸上，表情难看到极点。她一步步走近那对近在咫尺互相凝视的男女。他说话声音并不大，却分外清晰地传入她耳中。

她难以置信，宫垣怎么会喜欢其他女人……

他不是不让任何女人靠近他吗……

除了她，他从未对任何人敞开过心扉……

三年前，刚拿到精神科博士学位的她，经过介绍，成为宫垣的秘密主治医师。见他第一面时，她就被这个男人所吸引。一年后，在她的努力下，两人顺利成为恋人。又过了一年，两人以分手告终。

为什么会分手？她不介意他人格分裂，即使永远治不好，只要拥有宫垣的那一部分，她也满足了。可是，跟宫垣的恋爱，更像是医生与病人的理性交流。他不会对她说情话，不会给她带来惊喜，甚至连情人间的身体交流都没有。就连亲一亲、抱一抱，都得她主动。

这种明明有男朋友却在守寡的感觉，令她身心备受煎熬。去年她生日那天，他说有事不能过来陪她，她一气之下邀约了那个爱慕她很久的男人，两人在家缠绵。谁料，宫垣晚上过来了。一切被他撞了个正着。他们的关系，就此画上了休止符。

分手后她无比后悔。除了性格冷淡，不爱身体接触，宫垣的男朋友当得很称职，他可以满足她的一切虚荣心，他从来不会多看其他女人一眼。她不用担心他出轨，不用担心他像其他豪门大少那样绯闻缠身。无论周遭有多少莺莺燕燕，他的眼里也只有她一个人。

所以，即使分手，她也没有死心。她在等着那个疙瘩解开。她相信宫垣最终还是属于她的。因为他的病，普通人很难理解并接受他。他无法与他们沟通内心真正的痛苦，他不敢也不能让人知道他的症状。

所以，他注定是孤独的。所以，他渴望回到她的怀抱。

可是，现在，她看到了什么？

宫垣在对那个女人表白？他说着完全不像是他说的情话？

彼时，舒雅南正呆呆地看着宫垣。他缓缓俯下身，迎上他明亮幽深的双眼，她像是被定住了，不知作何反应。

“宫总好兴致啊。”一道声音打破了暧昧的氛围。

舒雅南回过神，缓了一口气。她向一旁看去，眼前是上次在会所里见到的那个女人。

她看着他们俩，嘴角勾起一抹讥诮的笑：“这么随便示爱，就不怕未婚妻那边不好交代？”

宫垣淡淡一笑，说：“未婚妻，只是家族给我挑的备用人选，我连面都没见过。”他揽上舒雅南的腰，将她圈入怀中，看着她的眼睛，柔声道，“如果没有遇到你，我会按照长辈的意愿跟她走进婚姻的殿堂。但现在有了你，一切都不一样了。利益与爱情，我选后者。”

淡淡的男性香水味，混着醉人的花香，充斥在鼻息之间，舒雅南想要推开他，又被他不轻不重地揽着。她极不自然地别开脸道：“别跟我开这种玩笑。”

宫垣无奈又宠溺地低笑：“你要我说多少次才肯信，我从不开玩笑。”

明毓的脸色一阵青一阵白，手掌攥紧了手提包的肩带，再次开口道：“宫总，作为你的主治医师，我有必要提醒你，你现在的情况并不适合恋爱。”

宫垣脸色骤冷，转头看向明毓。

笑意消失的他，表情结冰，气压瞬间低到可怕。

明毓心里一寒。

他冷冷地看着她道：“我也有必要提醒你，保密协议第三条的后果，你是不是承担得起？”

男人浑身散发的凌厉之气，令明毓心慌意乱。她知道自己口不择言，说错话了。

“走吧。”宫垣拉起舒雅南的手，带她走向自己的座驾。

明毓看着宫垣与舒雅南走远，紧紧地咬住下唇。

陈秘书走到明毓身旁，低声道：“不要为少爷担心，他知道自己在做什么。”

明毓眼里霎时水雾弥漫，看向陈秘书，说：“垣垣最近发生了什么事？他不是这么胡闹的人。难道这是新的发病征兆吗？陈秘书，你得告诉我他的情况。我是他的主治医师，我真的很担心他。”

陈秘书略作沉吟后，说：“我不是专业人士，没有看出异常之处。明小姐可以试着与少爷沟通。”

《天籁之音》首场海选在万众瞩目下播出。去年创下的口碑和四位歌坛巨星导师的豪华阵容，让它轻轻松松成为关注热点。

节目首播的周六晚上，舒雅南推掉朋友们的邀约，独自一人在家，守在电视机前。海选共剪辑了三期，舒雅南知道自己在第一期播出。

这是她在睽违六年之后，首次出现在观众视线中。她紧张又忐忑，坐在沙发上，怀里抓着抱枕，如临大敌地看着一个个选手登台。

与此同时，某间别墅内，凌岩坐在沙发上，液晶屏幕上的画面是明珠电视台正在播出的《天籁之音》。雯靖端了一份水果沙拉出来，坐在他身旁，叉起一块火龙果递到他嘴边，问道：“你怎么也开始看这种卖惨节目了？”

凌岩推开她的手：“没胃口，你自己吃吧。”

就在这时，又一位选手登场了，画面切换到外景，一个熟悉的身影出现在屏幕上……

雯靖双眼一瞪，舒雅南！她居然来参加这个节目了？

她蓦地笑起来：“指望着电影翻身，结果档期被耽搁，又来参加这种节目做回锅肉……好歹当年也是乐坛小天后，跟这群新人竞争，不觉得丢人吗……也不知道砸了多少钱进去，让她在这节目里往上晋级啊。”

凌岩眉头微蹙，语气淡淡地说道：“她有歌唱天赋，可以凭实力竞争。”

“丢人，赢了丢人，输了更丢人……我就不信她能顺利地走到最后！”

电视屏幕上，随着舒雅南走上舞台，响起了雷鸣般的掌声，以及一声高过一声的“女神”尖叫。雯靖嗤之以鼻：“一群托儿！”

宫垣的豪宅内。

他靠坐在沙发上，看着墙上的巨幕投影，表情极不耐烦：“我为什么要看这种无聊的东西？”

“少爷，想要打动一个女人的心，就要留心有关她的一切。今晚舒小姐将要登上这个舞台。”

宫垣松了松领带，发出一声嗤笑：“追女人表面做做样子就够了。让我关心她的一切？笑话。不是迫不得已，我巴不得她永远消失在我眼前。”

屏幕上，舒雅南穿着蓝白色长裙，款款走上舞台。

宫垣站起身，正要离去，又顿住了脚步。

画面里的她长发披肩，肤色白皙，面容素净，笑容温婉。此时的她，没有饰演艳妓时的张扬艳丽，美得恬静，美得自然，令人心旷神怡。

陈秘书适时道：“西凡是舒小姐的死忠粉丝，少爷看看舒小姐的表演，也是了解西凡。”

宫垣重新坐下，漫不经心地道：“那就看看吧。”

舒雅南对着音响师的方向微微点头，全场寂静。前奏响起，她拿着麦克风，缓缓唱着《趁早》。

“到后来才发现爱你是一种习惯，我学会和你说一样的谎，你总是要我在你身旁，说幸福该是什么模样，你给我的天堂，其实是一片荒凉……

“要是我早可以和你一刀两断，我们就不必在爱里勉强，可是我真的不够勇敢，总为你忐忑为你心软，毕竟相爱一场，不要谁心里带着伤……”

她眼眸低垂，像是沉浸在另一个世界中。磁性中略带沙哑的女声，带着仿佛天生的伤感，将感情里的种种挣扎和不甘，刻骨的伤痛，淋漓尽致地演绎出来。现场极其安静，观众们目不转睛地看着她，但他们早已忽略了她美丽的外形，只留意满场环绕的缠绵悱恻的歌声。

节奏骤起，她声线拔高，仰起脸时，眼底迷蒙的水光在舞台炫目的灯光下清晰可见。

“我可以永远笑着扮演你的配角，在你的背后自己煎熬，如果你不想要，想退出要趁早，我没有非要一起到老……我可以不问感觉继续为爱讨好，冷眼地看着你的骄傲，若有情太难了，想别恋要趁早，就算迷恋你的拥抱，忘了就好……”

雯靖脸上的笑容消失了，愣愣地看着电视屏幕。

凌岩坐在电视机前，一些被他刻意忘却的记忆，那么清晰地涌上脑海……

那时，她还是大明星，而他只是个跑龙套的，她在舞台上演唱，台下万千粉丝疯狂尖叫。他混在人群中，看着光芒万丈的她，幸福又自卑。他跑去后台找她，被工作人员拦下。她接到他的电话火速出现，抱着他高兴地尖叫：“我就知道你会来看我的！”

陷入回忆中的凌岩，眼眶湿润了。那时候她明明有眼高于顶的资本，却像个小女生一样，沉浸在跟他的恋爱中。

他怎么就把这么好的一个女人弄丢了……

歌曲已经接近最高潮，舒雅南两手紧紧握着麦克风，爆发出苍凉至极又洒脱至极的高音："爱已至此，怎样的说法都能成为理由，我在这样的爱情里看见的，是我们的软弱……我可以永远笑着扮演你的配角，在你的背后自己煎熬，如果你不想要，想退出要趁早，我没有非要一起到老……"

一曲毕，现场寂静了几秒，接着爆发出比开场时热烈数倍的掌声。一些年轻男女眼眶含泪，用力鼓掌。

宫垣沉吟片刻后，问："她现在在哪儿？"

没一会儿，陈秘书给她回应："她今晚没有任何通告安排，也没有参加朋友聚会。我想她应该是独自在家。"

陈秘书又道："如果现在有个人跟她一起分享喜悦，想必她会很开心。"

宫垣起身离开放映厅，边走边说道："知道了。追女人真麻烦。"

在电视上还在放着舒雅南与导师的对话时，凌岩突然起身，拿起外套，往大门外走去。

雯靖表情一僵，问道："你要去哪儿？"

"出去走走。你自己在家待着。"大门"砰"的一声合上，凌岩快步走出。

• • •

Chapter 8 圆圆

圆圆不要怕……

雅雅一直在你身边……

雅雅会保护你……

舒雅南在家看自己的表演。当时演绎的是一首伤感的情歌，而她在演唱时想起了与凌岩的多年坎坷情路，以至于在最后忍不住潸然泪下。但现在看电视台播放，作为一个旁观者，她的情绪平静了许多。

看着现场观众的反应，他们的沉迷和感动，让她忍不住嘴角上扬。最后全场掌声如雷时，舒雅南眼底含着泪光，不再是为爱情感伤，而是因为她终于又一次站在舞台上证明了自己。

演唱刚结束，舒雅南就收到了易子涵的微信："唱得很好！"

舒雅南笑着回复："谢谢。"

没一会儿，苏娜打来电话说："妞儿，表现得很棒！这次一定会爆红！"

舒雅南莫名心酸："娜姐，谢谢你没有放弃我。"

那边苏娜也忍不住感性了一把，她笑了笑，低声说："当年你是我带的第一个艺人，你的成功也造就了我的成功。可这些年吧，我带的人大多没有大红大紫的。你要好好干，让我们这对黄金搭档再次笑傲江湖。目前万里长征才踏出第一步。"

两人当年既是同事又是闺密，舒雅南与公司顺利解约，苏娜帮了很大的忙。当时苏娜很惋惜地一再问她，是不是真要放弃这条路，她点头，苏娜就帮她周旋。

挂断电话，电视里还在播放着其他选手登台。门外突然响起异动。舒雅南心里一个咯噔，小心翼翼地拿起茶几下方的水果刀，走向门边。

门被推开，凌岩高大的身影出现在门口。

舒雅南松了一口气，又蹙起眉头道："你来干什么？"

凌岩走入，脸上挂起愉悦的笑："难道不是等着我回来吗？密码锁密码都没改。"

"谢谢提醒，我很快就会改。之前不过是懒。"舒雅南看到他脸上那种笑容，极其反感，又说，“我也没想到，有的人还会恬不知耻地走进这个地方。”

凌岩脸上的笑容忽然消失，微微皱眉：“别闹了好吗？”

舒雅南冷笑：“这话从何说起？分手后我可没再跟你闹过。”

凌岩发出一声轻叹：“雅雅，我们和好吧。你知道吗？我一直在等你回来找我。”

“然后呢？”舒雅南面带讥诮，笑道，“我没去，所以你来了？”

“雅雅，我们这么多年都一起过来了，分开了你不会难过吗？不会不舍得吗？”他抓住她的手。

舒雅南猛地甩开，说道：“我会难过，但不会不舍得。因为我是为自己难过。我居然花了六年时间，把自己困在牢笼里！”

走到门口的宫垣，见大门开着，里面传来说话声，径自走了进去。刚走过玄关，他看到了室内两人拉扯的一幕。

凌岩扳过舒雅南的身体，将她拽入怀中：“雅雅，这六年我对你差吗？我从没想过要跟你分开。你提出分手，我也只当你是一时任性，等气消了想明白了就好了。”

“你放开我……”舒雅南在他怀中挣扎。几番挣脱不得，气急之下，她扬手朝凌岩扇去一巴掌，说道，“你想风流快活，我给你自由，让你去！现在风流够了，又想回头来找我？你把我当什么了？我告诉你，我没那么傻！”

凌岩抓住舒雅南的手，怒意让他的音调也拔高了：“我说了，那些女人不过是逢场作戏！我没有认真过！只有你是我老婆！我从头到尾爱过的女人，只有你！”

“哈哈哈……”舒雅南怒极反笑，“我是不是要感恩戴德啊？感激我们的影帝阅女无数后，爱的还是我……”

她收住笑，脸色蓦然冷凝，用力捶打着他：“可是你这爱让我觉得恶心！你滚……滚……不要让我再看到你！”

宫垣身形一晃，撞上墙壁，大脑极度的眩晕袭来……

两人推搡和争执的画面，在眼前渐渐扭曲，不断模糊又锐化……

眼前的男女，变成了另外一对……

“你想风流快活，我给你自由！你滚啊！不要再回这个家了！”女人随手拿起陈列柜上的花瓶朝男人砸去。

男人避之不及，额头渗出鲜血，他神情变得狰狞：“你疯够了没有！”

男人阴鸷的眼神扫来，女人蓦然打了个冷战，他指着她，阴沉着脸道：“你非要当着儿子的面闹吗？你还有没有做母亲的自觉？”

“你少在那儿装模作样！你眼里就没有我和儿子！”她再次抄起一个瓷瓶，用尽全力朝男人砸去，“去死吧！我带着儿子跟你一起下地狱！”

瓷片碎裂，满地飞溅，男人堪堪避开，脸上还是被划出一道血口。他脸色阴冷至极，大步上前，一把扯住女人的头发。几个响亮的耳光狠狠扇下，女人的脸颊当即肿了起来，嘴角渗出血丝。男人用力一推，女人羸弱的身体往前扑去，摔倒在地面上，正压着那些玻璃碎片，尖锐的疼痛令她发出凄厉的喊叫。

男人在她身上踢打。女人的身体在光洁的大理石地面上痛苦地扭动着。女人抬起头，嘴角渗着血丝，发红的眼眶也似要泣出血来。

她缓缓蠕动着，朝他爬过来，身后是刺目的血迹，她朝他伸出手：“儿子……救救我……圆圆……救我……”

“不要……不要……”他跌倒在地，抱住脑袋，身子瑟缩着。

舒雅南与凌岩争执着，听到玄关处的异响，一转头，看到了宫垣。只见他跌倒在地，抱着自己的脑袋，不停地往后缩。两人皆愣了一下。

舒雅南快速上前，蹲到宫垣身边。

“宫垣……你怎么了？”她试图拉下他的手臂。宫垣的声音更急更恐惧：“不要……不要……”那不像是一个大人发出的声音，更像一个脆弱的小孩发出的声音。他的身体颤抖得厉害。

“宫垣——你到底怎么了？”她奋力扯下他的手臂，看到一张布满泪水的脸庞，他眼神畏惧地看着她。

舒雅南吃了一惊呆住了。宫垣猛地抽出自己的手，身体缩成一团，不停地往后退。他退到鞋柜一角，缩到那个旮旯里，挨着墙，抱着脑袋，身子不停地瑟缩。

凌岩站在后方，不可思议地看着眼前的一幕。

舒雅南稳定心绪，起身找到手机，翻出陈秘书的电话给他打过去。

“舒小姐，你好。”他温润的声音在那头响起。

“陈秘书，宫总好像有点不对劲，你过来看看？”

“宫总怎么了？”那边陈秘书的声音立马紧张了，“具体有什么表现症状？”

“他好像受了什么刺激，特别害怕……还在发抖……眼神特别恐惧……”舒雅南缓缓描述着，如果不是亲眼所见，她怎么也无法相信宫垣还有这样的一面。

陈秘书心中了然，马上说：“舒小姐，请务必安抚好少爷，不要让他受到外界惊吓，给他一个安静的环境。我会以最快的速度赶来。”

挂断电话后，舒雅南见凌岩蹲在宫垣身前，伸手拉扯他。宫垣惊叫着往里躲。可另一面就是墙壁，他避无可避，恐惧的泪水不停地涌出，声音颤抖，哽咽着说：“不要……放开我……”

“凌岩，你够了！”舒雅南将凌岩拉起来。

凌岩满脸鄙夷，指着躲在角落里的人道：“这就是你的新欢？没想到啊，不仅白痴还是个孬种。这就是外界传言的商界新领袖，钻石王老五宫垣？”他满脸讥讽地笑着，“我算是长见识了！豪门的虚假外皮，比起娱乐圈更丧心病狂啊！”

“无论他是什么样的人，都不劳你操心！”舒雅南将凌岩往外推，“请你离开我家！再不走，我就报警了！”

“舒雅南，你是钻进钱眼里了，才会跟这个白痴好上！难道跟着我会让你挨饿受冻吗？豪宅名车，哪样我不能买给你？”凌岩气极，吼道。

“凌岩！交往六年我没有花过你一分钱，倒是你可以算算，我为你花了多少钱！”舒雅南拽着凌岩，将他推到大门外，“过去我不在乎名利，现在更不会在乎！你可以滚了！”

舒雅南用力关上门，返回到客厅，鞋柜旁已经没人了。

“宫总？宫总？”舒雅南在室内边叫边找。

就这么一会儿工夫，他能去哪儿？

某个角落传来了细微的动静。舒雅南站在原地，停止了叫声。寂静中，她听到声响由餐厅传来。

她轻轻地走过去，看到了宫垣露出来的西装一角。她不动声色地慢慢前行，宫垣正小心翼翼地躲在白色餐桌底下。

靠近后，她蹲下，抓住宫垣的手。宫垣突然发出一声惊叫，满脸惶恐地就要往外跑。可他刚起身，高大的身体踉跄着撞到桌子，手臂拂过时，几个瓷盘摔落在地。伴着稀里哗啦的碎裂声，他脸上的惊恐扩大到极致，浑身脱力般跌倒在地。他抱着脑袋，蜷缩成一团，紧紧贴着落地壁橱，哽咽着说：“我错了……我知道错了……”

舒雅南不清楚宫垣到底是怎么回事，但她那么鲜明地感觉到他内心的惶恐和畏惧。此时的他，完全不像个成年男人，就像心中充满恐惧的小孩。

她走到他身前蹲下，缓缓抚上他的脑袋，声音轻轻柔柔地说道：“乖，不怕啊……姐姐不会伤害你。”

他怯弱地抬起头，脸上的泪痕清晰可见。舒雅南心里有种说不出的难受，她轻轻地将他瑟缩的身体抱进怀里，轻轻地拍着他的后背：“不要怕……”

舒雅南大脑猛地恍惚了一下，脑海里跳出一些隐隐约约的画面。

女孩抱着小男孩，轻轻地拍着他的后背：“圆圆不要怕……

“雅雅一直在你身边……

“雅雅会保护你……”

舒雅南用力甩了甩脑袋……

这是怎么回事，陌生的场景，却又感觉那么熟悉……

她回过神，看向怀里的宫垣。宫垣已经平静下来。

“我们去沙发上坐着，好吗？”舒雅南轻声哄着将宫垣拉起来，扶着他朝沙发走去。

宫垣坐在沙发上，蜷起双腿，将自己抱住。舒雅南拿起一条毛毯，披在他身上。他身体动了动，试探性地看了一眼舒雅南，又收回目光，低声说：“你会叫人来抓我吗？”

“嗯？”舒雅南愣了一下。

他嗫嚅道：“他们会抓我，会把我关起来……”

“不会的。”感觉到他的身体起了细微的战栗，她再次将他抱入怀中，轻轻地拍着他的后背，“宫总你那么厉害，没人敢抓你，不要怕。”

“我是圆圆……”对方声音低低地说。

“圆圆？”念出这个名字时，舒雅南突然又恍惚了。

女孩对蜷缩在衣柜里的男孩说：“你叫什么名字呀？”

男孩缩成一团，腿上放着一块画板，正在写写画画。他看了她一眼，迅速垂下头，低声嗫嚅：“我是圆圆……”

“圆圆，真可爱……”女孩露出灿烂的笑容，“圆圆，你可以出来吗？让我看看你画了什么好不好？”

男孩闻言紧紧抱住画板，又往里缩了缩，几乎是贴着柜角，用畏惧的眼神看着她。

就在这时，外面传来叫声：“少爷……少爷……你在哪里呀……”

脚步声越来越近，女孩眼见男孩脸上表情变得焦急又惶恐，一并钻进了衣柜，将柜门合上。

世界陷入一片昏暗之中……

舒雅南猛地醒过神。她缓缓转过头，看着缩成一团蜷在沙发角落里的人，喃喃自语：“为什么我脑海里会有这些画面……圆圆……圆圆是谁……”

“我是圆圆……”宫垣轻轻细细的声音回道。

舒雅南稳了稳情绪，起身拿来一个便笺本和一支签字笔，坐到他身旁，柔声道：“有什么不开心的和害怕的事，就把它画下来怎么样？”

宫垣接过了纸笔。他埋头写写画画时，舒雅南坐在一旁拿起一本书翻看。他往她身旁蹭了蹭，靠在她肩上。舒雅南笑了笑，伸手揉了揉他的脑袋。

门铃响起时，宫垣身子猛地颤了一下。舒雅南起身去开门，是陈秘书来了，在他身后有两名穿西装的男子和两名穿着职业套装的女人，以及光彩照人的明毓。

舒雅南打电话时，明毓正在找陈秘书沟通宫垣的现状。得知这边的异常，她非要跟过来。

一行人走入厅内时，沙发上的宫垣蓦然起身，不断后退。

他转身想跑，两名西装男快速上前，抓住了他。陈秘书走上前，柔声哄道："圆圆乖，睡一觉就好了。"

他惊慌无措地挣扎着："不……我不要睡觉……我不要被关起来……"可他的力气看起来是那么的孱弱，两个男人轻轻松松就制住了他。

制服女人打开随身携带的医药箱，拿出注射器，注入药水。

针尖不断逼近时，宫垣脸上的惶恐更甚。他突然看向舒雅南，眼里又是失望又是绝望，他哆哆嗦嗦控诉道："你骗我……你是个骗子……我再也不相信你了……"

舒雅南愣愣地立在原地。

宫垣在两个男人的控制下动弹不得，注射器尖端精准地扎入了他的血管。

他缓缓地闭上眼，陷入沉睡之中。一个男人背起宫垣离去。陈秘书对舒雅南鞠躬："很抱歉，给舒小姐带来了困扰。"

舒雅南说："陈秘书，难道你不打算对我说点什么？"

陈秘书面露难色，明毓上前道："陈秘书你先走吧，好好照顾垣垣。我跟这个女人聊聊。"她对他微笑，"你放心，什么话该说，什么话不该说，我很清楚。"

"那好。"陈秘书点头，又对舒雅南微微躬身，转身离去。

寂静的室内，明毓与舒雅南相对而立。舒雅南很明显地感觉到这个女人对她的敌意。

舒雅南问：“上次你说，你是宫垣的主治医师？”

“对。”明毓道，“而且我也说过了，宫垣的状况不适合恋爱。”

“他有什么病？”

明毓斜了她一眼：“你真想知道？”

舒雅南点头。

明毓浅浅一笑：“我是精神科医生，你说他是什么病呢？”

她盯着舒雅南，笑道：“宫垣他……有精神病。”

舒雅南难以置信地看着明毓。

明毓逼近舒雅南，笑容渐渐扭曲起来：“今晚你也见识了他发病，如果你以为这是全部，那就大错特错了。这是最好的一种发病状况。有的时候，他会成为一个暴徒。有的时候，他会变成一个白痴……”

舒雅南呆立在原地，她的脑海中浮现出了过往的一幕幕画面……

那次被绑架时，在那个破旧阴暗的仓库里，宫垣徒手对付十几个绑匪，游刃有余，优雅又狠厉，浑身充满血腥之气，犹如地狱来的阿修罗……

那次出车祸时，在大街上，他浑身燃烧着熊熊怒火，就像一头暴躁的狮子，不分青红皂白地与四个男人斗殴……既没了游刃有余的优雅，也没了可怕的杀伤力……

这些，都不像是平日里那个高冷倨傲的宫垣……

今天晚上，他就像个脆弱的小孩子，眼神里充满了畏惧，分明不甘不愿地奋力挣扎，可两个男人轻轻松松就制服了他……

“我奉劝你一句，他说什么喜欢你的话，千万不要当真。因为你不会知道，他说那句话时神智是否正常。”明毓走到怔忡的舒雅南跟前，盯着她的眼睛说，“记住，你和宫垣不是一个世界的人。他的世界，你走不进去，更负担不起。玩火的下场，只能是自焚。”

明毓走后，舒雅南呆愣了良久。

她对宫垣并没有其他想法，即使这段时间他热烈地追求她，她也觉得他只是一时兴起。可她万万没想到，宫垣竟然是个精神病人……

目光扫到宫垣甩到地上的便笺本，她俯身捡起来。

他用黑色签字笔娴熟地勾出了一幅幅素描画，可是……舒雅南抖着手，翻了一幅又一幅，一股寒意漫上心头。

她身子虚脱，跌坐在沙发上。

舒雅南深呼吸几次后，再次拿起那个便笺本，撕下那几张纸。她皱着眉头将那几张纸揉成一团。片刻后，她又摊平，将它们夹在便笺本里，放回了卧室。

《天籁之音》首播过后，舒雅南受到了广泛的关注和好评，网上还有专门的帖子，“扒”她几年前在娱乐圈里的历程。当年她的脑残粉们纷纷自动结盟，高呼“女神”又回来了。第一期因为她的惊艳亮相，其他选手的存在感几乎被削弱为零。

舒雅南去明珠卫视彩排时，队友们纷纷向她祝贺。毕竟她曾经红过，而且是红遍大江南北，所以，她取得如此成就，他们倒也没什么不甘心。

已经在录制二十强争霸赛节目，这对舒雅南来说，同样毫无悬念。但她还是要全身心投入备战。因为她要赢的不是对手，而是电视机前观众的心。舒雅南在歌坛“嘻哈小王子”秦安的组里。秦安知道她必胜，给她安排了一个他不太看好的对手，让她毫无悬念地碾压对方。

这天节目录制结束后，秦安自掏腰包请他组里的人一起出去吃喝玩乐。有五个晋级的和五个淘汰的，他们既是为晋级的庆祝，也是为淘汰的送行。舒雅南本不想凑热闹，但又不能让自己显得不合群。而且，二十强之后的路，她这个导师起着很重要的作用。

情迷酒吧。

喧嚣震天，纸醉金迷，灯光交映闪烁，让人眼花缭乱。

酒吧二楼的包间里，男男女女闹作一团。秦安没有丝毫巨星架子，对待自己的队员就自家小孩一样，招呼着："不用客气，该吃吃该玩玩啊，今晚安哥请客。"

舒雅南坐在一旁，几个队员围着她叽叽喳喳，问她当年为什么要退出娱乐圈多么可惜云云，又说她这次一定会势如破竹一飞冲天。舒雅南喝着鸡尾酒，恬静地微笑。

秦安收了个信息后，说："我好哥们儿来了，我去接一下。"

片刻后，秦安带了个男人进来："看看谁来了？"

室内当即爆发出惊叫："凌影帝！""岩哥！""天哪，是凌岩啊……"男学员们满是崇拜，女学员们眼冒红心。不怪他们花痴，如今凌影帝的风头太盛，作为最年轻的国际影帝，演技好，颜值爆表，身材一级棒。

包间内的气氛在凌岩到来后达到新高潮。在众人围着他起哄时，舒雅南默默起身，离开了包间。

舒雅南从洗手间出来，打算回去跟秦安说一下就走人。她刚拐过一个转角，手臂猛地被人攥住。她被凌岩拖到消防通道里。

"你够了没有？"舒雅南皱眉低斥，"凌影帝，你是觉得回头草很好吃吗？"

"为什么不接我电话？为什么把我拉黑？"凌岩质问。

舒雅南发出一声嗤笑，连他的话都懒得回，转身就走。

凌岩拉住她的手，将她按压在墙上，咬牙道："舒雅南，不要再发疯了！再往前一步就是万丈深渊，你懂吗？”

舒雅南推不开他，索性抱臂，冷眼嗤笑：“你跟一个已经跌入万丈深渊里的人说这些，有意思吗？”

“就算你不肯原谅我，也不能跟宫垣在一起！他是个疯子！”

舒雅南眉头微皱，他知道了些什么？但她面上不动声色，依然嗤笑：“他是不是疯子，不需要你来告诉我！”

凌岩满面阴郁之色，俯下身，在她耳边沉声道：“宫垣是个杀人犯！他在十岁的时候就杀过人！因为是未成年人，所以才逃过一劫！”

舒雅南心头颤了一下，手掌缓缓收紧。

“在那之后，他死性不改，打人伤人，劣迹无数！如果不是靠着宫家强大的背景，他这辈子都得蹲在牢房里！”

舒雅南稳定情绪后，冷笑：“你什么时候改做福尔摩斯，专门查人底细去了？”

“我这么费尽心思，还不是为了你！你不要被他豪门大少的光鲜外表迷惑了！其实他就是烂心大苹果，早就腐烂了！他会把你拉进地狱里！哪天他把你害死了，以宫家的能耐，会让你死得悄无声息！就像当年他杀的那个女人！”

舒雅南深吸一口气，用力推开凌岩，面无表情地说：“我最后一次告诉你，我们已经分手了，无论我发生什么事，都与你无关。请收起你那无用的关心。”

舒雅南不再理会凌岩，大步离去。

她不想回到包厢，索性站在二楼走廊上透气，目光在一楼大厅漫无目的地游移，蓦地顿住。

明毓……宫垣……还有一群男人……他们在干什么？

大厅一角的卡座里，宫垣被包围在几个男人之间。他跟他们喝酒，划拳，碰杯，摇色子。

他脸上的纵情肆意，是她从没见过的一面。他一举一动所透出的妩媚风情，更是超越以往她对他的所有认知……

明毓就坐在一旁，品着鸡尾酒，看着他玩。

在眼花缭乱的灯光中，舒雅南还是清楚地看到，一个男人将手伸进宫垣的衬衣里，还有一个男人凑到他颈间……完全不像是正常男人之间的举动。

而他此时的模样，就像是忘乎所以的迷醉……

莫非他又发病了？！

念头闪过，舒雅南快速下到一楼，往刚刚看到的地方跑去。

• • •

Chapter 9 Rose

那双看着他的眼睛，清澈明亮，

没有丝毫恐惧和犹疑。

没有看怪物般的匪夷所思，

没有暗自思量的算计。

简简单单的，一眼能看到底。

情迷酒吧，醉生梦死的天堂。

卡座里，穿着黑色背心，戴着骷髅项链，发达的肱二头肌上还文着豹子的男人，将宫垣搂抱起身，哄道："宝贝，我们去个可以更疯狂的地方。"

宫垣身体软得跟没骨头似的，眉眼微挑，眼底波光潋滟，高鼻秀挺，唇若樱颗，明明是个男人的他，此时迷醉的模样，比女人更美、更媚，更令人心神荡漾。

文身男忍不住又在他白皙紧致的肌肤上摸了一把，啧啧赞道："第一次遇到这种销魂的尤物，极品啊！"

几人起身时，宫垣对明毓摆摆手："丫头，你自己玩，不陪你了。"

明毓微微一笑，浅啜一口特调鸡尾酒。

"宫垣！你在干什么？！"他们走出卡座时，舒雅南出现了。

她堵在他们跟前，一把拽过宫垣，在喧嚣的声浪中高声喝道："你在发什么疯？！"

"找死啊你？"文身男剑眉倒竖，动作粗暴地推开舒雅南，再度搂上宫垣的腰。

舒雅南被推得接连后退几步，直到撞到身后的人，才稳住跌倒的势头。她顾不上跟撞到的人道歉，再次跑上前，拉住宫垣的手臂："你不要乱来！跟我走！"

宫垣想拂开她的手，可他的力气没有她大，几番挥不开，不悦地蹙眉，清醇的声线捏得细细的："你是谁呀？我不认识你！"

"你这女人，找死！"文身男暴怒，伸手揪过舒雅南，朝她一拳揍去。

舒雅南右脸受到重击，整个人控制不住地往一侧栽倒，撞到了茶几一角，额头传来更加清晰的痛楚……几个玻璃酒杯被她的身体拂落在地，伴着稀里哗啦的碎裂声，她痛得晕头转向，好半晌没缓过神。

宫垣脸色一僵，身体一个踉跄，差点站立不稳。

身旁的文身男搂紧了他，捏着他的脸调笑："怎么了宝贝，难道你还怜香惜玉？"

——雅雅受伤了！Rose，你害雅雅受伤，我不会放过你！

——该出来的是我！Rose！你敢跟男人乱来，我杀了你！

——把你身旁那个男人废了！

大脑里一拨又一拨声音传来，宫垣表情越来越扭曲。

"雅雅！"一个高大的身影窜入，舒雅南的身体被人扶了起来。她抬眼一看，是凌岩。凌岩沉着脸，在茶几上抽出一沓纸巾，按住了她流血的额头，又将她放在沙发上。

他转过身，杀气腾腾地看着文身男，拿起一个酒瓶子就朝他劈去："你敢动我女人！"

"又来一个找碴的！"男人当即放开宫垣，跟凌岩打了起来。

早年演武戏出身的凌岩，在这方面很有底子，高难度打戏基本都是他自己上。尤其曾经为了饰演黄飞鸿一角，苦练了一年的拳脚功夫。此时，凌岩浑身燃烧着愤怒的火焰，凭借高大的身材和专业的身手，没几下子就把文身男揍得招架不住。但是，与文身男一伙的几个男人很快蜂拥而上，对他形成了围攻之势。他以一敌多，渐渐有些吃力。

舒雅南缓住了最初那股晕劲儿后，晃了晃脑袋，便欲起身。明毓站在她身前，拉扯她的头发，迫使她看着她，眼神尖锐："你还真是不自量力，非要蹚这浑水。"

舒雅南怒目瞪她："你不是她的主治医师吗？为什么让他来这种地方，眼睁睁看着他跟男人乱来？"

“你什么都不懂，还装模作样地谴责我？”明毓面露讥讽的笑。

舒雅南咬牙，伸手扯上明毓的短发，在她的尖叫中，用上一股蛮劲，将她扭到沙发上甩开，厉声道：“就算我什么都不懂，我也知道，宫垣一定不想自己这样！”

她甩掉明毓，在一片混乱中搜寻宫垣的身影。

宫垣倏地站直身子，伸手拂过自己的头发，就好像那一头短发是飘逸的长发般。他掩唇娇笑：“既然你们闹个不休，谁也不要出来好了。趁你们分出个胜负之前，我得好好享受属于自己的时间。”

可他脸上得意的笑容还没维持多久，身体就被拽住了。舒雅南拖住他的胳膊：“跟我走！”

“喂……你怎么没完没了啊……”宫垣不断挣扎，却怎么都甩不开她，喊道，“不要再缠着我了！我只对男人感兴趣！女人不约！不约！听到了吗？”

舒雅南抓狂地喊道：“你给我老实点！有病也不是你糟蹋自己的理由！”

那边凌岩还在以一对多，突然有人喊了声：“凌岩！”接着是此起彼伏的尖叫：“那是凌岩！”“凌岩在打架！”“影帝凌岩啊！”……不断有人围过来，举起手机，疯狂拍照。闪光灯频频亮起，堪比超级“狗仔”大比拼。混乱中，他们这个卡座陷在一片光海的包围中。

舒雅南拿手挡住脸，趁着大家的注意力都在凌岩身上，狠命一拽，拖着宫垣冲出了包围圈。

“别让那个女人把他带走了！快！把我的小心肝追回来！”身后传来那个文身男的吼叫。

舒雅南跑得更快了，一路跌跌撞撞，不知道撞了多少人，脑袋再一次隐隐作痛。可她不能停下来，更无法顾及其他，只知道快跑、快跑。

“你要带我去哪儿啊？我都说了我不约！你不要再缠着我！肤白貌美难道是我的错吗？再不松手我要报警了！”宫垣一边挣扎一边尖叫着。

舒雅南路过一张桌子前，顺手拿起一个酒瓶子，转头就朝宫垣脑袋砸去，怒喝：“闭嘴！”

耳畔传来稀里哗啦的碎裂声，宫垣身体晃了一下。

——干得好！

——干得好！

脑海里两道声音同时响起。

舒雅南拉着宫垣继续往外跑，这时候他整个人晕晕乎乎的，也没力气挣扎了。舒雅南的效率高了许多，很快将他拖出酒吧。

来到路边，久久没有一辆空车过来，眼看着那几个喽啰也追出了酒吧，舒雅南急得直跳脚。她拉着宫垣，往另一边跑去。

宫垣看到了四下寻找他们的人，转身朝他们招手：“嗨，我在这里！我在这里呀！”

舒雅南气得狠狠踢了他一脚，宫垣一个踉跄，如果不是被她拉着手，差点滚倒在地。

“疯女人，你放开我……你是不是宫垣的相好？我是Rose，不是宫垣，你找错人了……现在是我的时间，不要干扰我……”他锲而不舍地反抗。

就算舒雅南再卖力，拖着一个障碍物，而且是叛逆的障碍物，也还是被那几个男人堵住了。前面三个，后面三个，对她形成了封锁之势。

舒雅南心下惶然，宫垣得以挣脱她的手，跑到那些男人身边。

舒雅南指着他，脸色发青，吼道：“你！给我过来！”

宫垣吐了吐舌头，一副“你奈我何”的俏皮表情。

舒雅南浑身起了一层鸡皮疙瘩。她几乎咬碎牙齿，生生忍下了对宫垣的怨念。

他有病，她不跟他计较！

舒雅南环顾四周，已经是夜深人静，周遭没什么行人。马路上是一辆又一辆飞驰而过的车子，他们不会停下来多看一眼。而酒吧门口是一群醉得东倒西歪的人。即使有那么几个清醒的，看着这架势，也不会上前，更不会过问。

但她不能在这时候露怯。舒雅南昂首挺胸，对那几个男人说：“我已经报警了！警察很快就会过来！”

一个男人嗤笑：“警察来得正好啊，管管你这没事找事的臭娘们儿。”四下响起哄笑，他们完全不把舒雅南的威胁放在眼里。

又一人说：“这妞儿很正点啊，长得像明星。我对女人也感兴趣，要不把这妞儿给我！”

“一起啊。”另一人不怀好意地笑。

他们很快分工妥当。四个人带着宫垣回去找老大，两个人钳制住舒雅南，将她往另一边的巷子里拖去。

“放开我——放开我——”惹火上身的舒雅南高声尖叫。

只听“啪”的一声脆响，她脸上挨了一巴掌，那人骂道：“乖乖听话，我们温柔点好好疼你！再这么不知好歹，让你好看！”

舒雅南被打得晕头转向，她的身体被他们拖着后退。她极度惶恐，拼命地挣扎。他们一边拖着她，一边对她拳打脚踢，试图制服她。

舒雅南嘴角涌出血来，即使在暴力的欺凌下，她也丝毫没有妥协，一直奋力抵抗。她看向宫垣，用尽所有力气嘶声叫喊：“宫垣——救我——宫垣——”

宫垣表情僵硬，刚要抬腿便顿住了。强烈的眩晕袭来，他一个踉跄，差点跌倒。

她被两个男人粗暴地拖拽着，不断远离。她满脸的泪水，混着狰狞的血水，朝他不断地喊叫：“宫垣——救我——宫垣——”

她的声音已经十分沙哑，但她还是在一声一声地拼命叫着：“宫垣——宫垣——救我——宫垣——”

心跳声一声高过一声，似要冲破胸腔！他捂住胸口，脸色扭曲。

“怎么了，小心肝？”身旁的男人问道。

宫垣倏地脱力，双腿一软，跪倒在地，他的身体剧烈抽搐，双手紧紧抱着脑袋，发出痛苦的嘶吼：“啊——”

“嘿，你怎么了宝贝？”一个男人伸手抚上他的肩。

痉挛停止，眼底一道暗光滑过，他抬起头，抓住那个男人的手，清晰的骨骼断裂声响起。男人发出惨叫，他用力一扯，男人扑倒在他身前。

宫垣站起身，目光冷冷地俯视地面上的人，一脚踩在他胸腹上：“不要用你的脏手碰我。”随着他脚下力道加大，男人嘴角鲜血直往外涌。

另外几个人看到这一幕惊呆了，他们齐齐扑向宫垣。宫垣抬腿扫过，两个男人相继倒下，他拽着其中一个甩向另一边袭来的人，两人在他巨大的推力下，头颅相撞，顿时头破血流。

不到一分钟时间，四个男人都倒下了。

宫垣看向舒雅南那边，瞳孔骤缩，眼底迸射出可怕的杀气。

舒雅南歇斯底里地与两个男人撕扯对抗。由于她的顽强抵抗，两个男人下手更加不耐烦更加狠辣，她的两边脸颊都被抽肿了，满头长发凌乱不堪，随着大力的撕扯，一缕又一缕头发被扯落在地……

外界的迫力突然消失，舒雅南身体一软，跌倒在地。

她仰起脸，看到了宫垣的身影。他就像老鹰拎小鸡般将那两个人拽开，一个甩到一边，又一脚踹向另一人膝盖，对方双膝跪地。

他掐上那人的脖子，手渐渐收紧。

舒雅南看到他那可怕的模样，毫不怀疑下一刻他就会拧断那个人的脖子。

“不要！”她艰难起身，扑上前，抱住了他的腿，喊道，“别杀人！”

宫垣压抑着眼底的暴戾，作势要拧断那人脖子的手抑住了那股力道，他的拇指在那人的脖颈上划过，一道深深的血口便出现了，血肉清晰可见。男人痛哭流涕地惨叫，他甩垃圾一般将他甩出数米外。

宫垣蹲下，扶住浑身是伤的舒雅南。前一刻犹如杀人机器的他，此时，双手颤抖着将她凌乱的长发缓缓拨开。昏黄的路灯下，她娇俏的鹅蛋脸布满混着血水的泪水和一块块青紫红肿，面目全非，有些恐怖。

舒雅南看着他，轻轻问了声：“你……清醒了吗？”

宫垣抽动着喉咙，眼底水光浮动。他仰起脸，逼回了就要滚落的泪水。再次看向她时，他哽咽着应声：“是，我清醒了……”他的手掌缓缓抚上她肿胀的脸庞，声音沙哑，“因为你一直在叫我……”

舒雅南愣愣地看了他几秒，突然捶打着他的胸膛：“你这个浑蛋，你发什么疯！……你差点害死我了！浑蛋！”她惶恐到只能一遍又一遍地拼命向他求救。知道他发病，知道他根本不认识她了，她还是几近绝望地期盼他的救援……

“对不起……”宫垣轻声道。

“为什么要让一群男人糟蹋你？有什么病不能好好治，用得着这么作践自己吗？！你这个疯子！精神病！”

他将她抱在胸前，轻轻抚着她的发丝道：“那你为什么要管我这个精神病人？”

“我知道你清醒后一定会后悔！你会后悔死……”舒雅南哽声道。

他将她往怀里搂紧，下巴抵着她的头顶，不让她看自己的脸庞。他闭上眼，轻轻地说：“是，我会后悔……会后悔到想死……”可是他毫无办法。

舒雅南沉浸在后怕的情绪中。两人抱在一起，浑然忘却周遭的一切。

宫垣平复情绪后，将舒雅南拦腰抱起，站直身道：“我带你去医院。”

“不行。”舒雅南回过神，拒绝道，“我现在不能去医院……我这样子，会惹来不必要的负面新闻。你把我送回家。我家里有药，这都是外伤，擦擦药就好了。”

“好。”宫垣点头，“我送你回去。”

他打了个电话后，抱着舒雅南顺着街道往前走。目光扫过在地面上鬼哭狼嚎的人，他在心里对另一个人说：谢谢你，轻音。

两人都想拥有这具身体的主导权，在斗争最激烈的那一刻，她一遍又一遍痛苦地求救，轻音担心她的安危，不敢再僵持……

于是，他醒了。

由于被压制的轻音的协同意识，他迅速解决了那些麻烦。

一辆法拉利在街边骤然停下，陈秘书忙不迭下车问道：“少爷，你怎么到这里来了？这……这是舒小姐？舒小姐怎么了？”

宫垣打开副驾驶座的车门，将舒雅南小心翼翼地放在了副驾驶座上。他接过陈秘书递来的钥匙，问道："药备好了吗？"

"都在车上。"陈秘书应道。

"好。你回去吧。"宫垣点头，上了驾驶座。

上车后，他迅速喂舒雅南吃了几粒消炎药，又抽出纸巾，小心翼翼地擦去她干涸凝结的血泪。接着，他又翻出医药箱，拿镊子夹着棉花球，蘸上药水，轻轻地为她涂抹伤口。

舒雅南咧嘴笑了笑："没想到你会这些。"

他沉默片刻，说："我会的很多。"

处理好她的伤后，他用五指当梳子，为她梳理那些长发。舒雅南有些尴尬，侧过头说："我自己来就好。"

她整理着长发，他看了她几秒，转过头，发动车子。

寂静的深夜，城市灯火依旧，光影交织。

法拉利在马路上飞驰，车厢内一片寂静。

舒雅南仰靠在座椅上，合上眼，放松疲惫的身心。

片刻后，当她睁开眼，发现车子停在这座城市著名的景区。从这儿再往上步行一段盘山路，就到了看夜景的绝佳之处——明月观景台。

"下去走走。"宫垣率先下车。舒雅南随之下车。

即将踏上青石板阶梯时，他揽过她的腰，将她打横抱起。她不由得发出一声轻呼，他说："你受了伤，不宜运动。"

他一路抱着她上了观景台。此时已近深夜，景区里的灯光稀疏黯然。但由于这是二十四小时开放的未设置售票点的景区，此时仍有几对小情侣腻歪在一起。他们看着这个城市的水天一色，时而嬉笑打闹，时而絮絮低语。

宫垣抱着舒雅南走上开阔的平台，将她放下。

他们一并走到观景台前，夜风拂面，带来丝丝凉意。舒雅南双手扶着石栏，感叹道：“我是第一次半夜来这个地方。”

宫垣双手插在口袋，看着远方，道：“你没有什么想问我的吗？”

舒雅南沉默了片刻，偏过脑袋看他：“我可以知道你具体是什么病吗？”

“分离性身份识别障碍。”见她一头雾水，宫垣自嘲地勾起嘴角，“按照通俗说法，就是人格分裂。”

舒雅南心里一跳，这不就是多重人格吗？她虽然没有见过实例，但是相关影片看过一些……都是一些带有惊悚性质的片子。她怎么也不会想到，自己居然在现实中遇到患有这种病的人。

宫垣说：“我这个身体就像一间旅馆，在它里面住了一个又一个房客。我无法管束他们，也不知道他们什么时候会冒出来占据我的身体和时间。”

舒雅南的手在石栏上缓缓摩挲着，好半晌，开口问道：“所以……其实，西凡，轻音……都是你，对吧？你们根本不是什么三胞胎……”

“不。”宫垣否认，“他们不是我。他们只是与我共用这个身体。”

“明明就是一个人嘛……”舒雅南低声道。

“他们不是我。”宫垣冷声道，“他们是我的敌人，是我这个身体的觊觎者。他们中的任何一个变强大，都想将我取而代之。”

舒雅南察觉到宫垣骤然凌厉的气场，收了声。

宫垣深呼吸，缓和了一下情绪，说：“你现在知道我的情况了。我可以答应你一个条件，作为你替我保守秘密的回报。”

舒雅南背靠石栏，看着宫垣已经无波无澜的表情，故意开玩笑道：“我今晚为了救你，折腾得头破血流，可不止保守秘密那么简单，一个条件就想打发我？”

“好。你可以提三个。”宫垣说。

舒雅南想笑，却发现自己笑不出来了，她说：“资本家就是这样吗？遇到任何事情，都是谈条件做交易？”

“不然，你有更好的办法？”宫垣转头看她。

舒雅南耸耸肩：“我知道宫家大少爷财大势大，答应我等平民几个条件易如反掌。但是，我还没有卑劣到这种程度，利用别人的痛苦和秘密做交易，换取自己想要的东西。”

她仰起脸，看着漫天繁星，突然觉得意兴阑珊。

一时间，谁也没有说话。两人安静地站着，只有夜半的微风萦绕身侧。

舒雅南站直身子，说：“回去吧。我得睡觉了。”

一直沉默的宫垣突然抓住她的手，她前行的步伐顿住了。

他看着她，依然一副冷峻的表情，眼底有了波澜：“跟我待在一起，很难熬吗？”

“你那一副被嫌弃的委屈表情是怎么回事？”舒雅南打趣道。

“我没有。”他表情凝滞，接着连降几度，更加冷肃。

“你当然没有，我瞎说的。”舒雅南嘿嘿一笑。她发现，逗逗这个高冷面瘫还挺有趣的。她说，“我是真要回去睡觉了，女人熬夜老得快。即使天塌下来，也要保证在十二点之前睡。”她抬手看了看表，说道，“喏，都十二点半了。赶紧送我回去吧，我要睡我的美容觉了。”

“走吧。”宫垣先迈步，“惦记着吃吃睡睡的日子，倒也省心。”

舒雅南明知道他这句话带了那么点不屑和轻视，也没去争辩，而是顺着说道：“是啊，有什么比让自己吃好睡好更重要呢？对自己好才是真的好。所以，你也可以参照这条准则，让自己过得省心点。”

“我跟你们不一样。”宫垣语气冷硬地打断她，目露寒光，“你以为谁都可以活得那么简单吗？你以为人生就是一加一等于二吗？”

舒雅南垂下眼睑，说道：“很抱歉宫总，不小心冒犯了您，我不是故意的。”

宫垣看着她低眉顺目的模样，心里那股莫名的火燃烧得更旺了，可又找不到触发点和发泄口，他只能燃着闷火，转身大步前行。

法拉利在寂静的深夜里飞速驰骋。车内没人说话，宫垣绷着一张脸，目光注视前方道路。

半晌后，他解开衬衣的第二颗纽扣，似要缓解这莫名的压抑感。他目不斜视地开口道：“我没那么容易被冒犯，你想说什么就说吧。”

旁边没有声音。

他沉默了片刻，又说：“我训人训惯了，你不用放在心上。”

依然没有声音。

宫垣的表情沉下去了，不悦地转过头：“你……”

一张酣睡的容颜映入他的眼帘。

他想象中的画面是舒雅南埋着头咬着唇一脸不开心地跟他闹别扭，结果看到的画面是她靠在座椅上睡着了……座椅还被调成了舒适的角度。

宫垣一脸错愕地看了她几秒，默默地扭过头，继续开车。

车子停在舒雅南家大门外，他推了推她：“到了。”

舒雅南睁开蒙眬的睡眼，表情还有些茫然：“啊，到了啊。那再见啊。”她正要下车时，宫垣拽住了她的手。

他有些咬牙切齿地看着她：“你就这么没心没肺？”

“怎么了？”舒雅南揉了揉眼，想要让自己显得清醒些，结果不小心揉到了眼睛的红肿处，当即疼得吸气。

宫垣看她这副呆呆的模样，前一秒的火气又变成了无奈，他拉下她的手：“别动。”接着他从医药箱里拿出一瓶喷雾，“闭眼。”舒雅南乖乖闭眼。他拿着喷雾对着她眼角处喷了几下，感觉凉凉爽爽的，不适感瞬间淡去不少。

舒雅南睁开眼，对他微笑：“谢谢。对了，你刚刚说什么来着？”

宫垣深吸一口气，克制着自己说话居然被当成耳旁风的不爽。他看着她说：“你不屑于谈条件，难道是想跟我谈感情吗？”

舒雅南愣愣地看着他：“谈感情……”

他揽住她的腰，将两人的距离拉近了许多，俯身逼视着她：“你忘了我在追求你？”

不太宽敞的空间内，男性气息压迫而来，舒雅南皱皱眉，很是局促和不适，习惯性要抓头发时，被宫垣握住了手。他说：“别乱动，等会儿伤口又要疼了。”

他将她的手包握在掌心，另一只手绕过她的后背搂着她，两人相距咫尺，他垂着眼，能清楚地看到她的眼睫毛蝉翼般颤动。握在掌心的手，柔软、干燥、温暖。她漂亮的脸庞上，有瘀青，有红肿，有白色的纱布……这些都在提醒他今晚所发生的一切。

可是，那双看着他的眼睛清澈明亮，没有丝毫恐惧和犹疑，没有看怪物般的匪夷所思，没有暗自思量的算计，简简单单的，一眼能看到底。

她眨着眼睛看他：“宫总……”

他在她的瞳孔里看到自己的倒影，嘴角勾起一抹若有若无的笑意，轻轻应声：“嗯。”

“那个，我真的很困。谈感情什么的，改天好吗？感情是个很大的命题，三言两语可说不清。现在我想回去睡觉了。”

气氛冷了下来。

宫垣放开她，坐直身子：“走好。不送。”

“嗯。再见。晚安。”舒雅南下车，离去。

宫垣看着她的背影走远，站在大门边按下密码锁，然后走入。从下车到进门，她没有再回头看他一眼。宫垣回过头，发动车子，飞驰而去。

• • •

Chapter 10 决绝

我不要有裂缝的破镜重圆，

我不想成为耿耿于怀的怨妇，

我不要这样的人生。

请你，成全我的碧海蓝天。

舒雅南还在家睡觉时，床头柜上的手机响了。

她在蒙眬的睡意中接起来，经纪人的声音如炮连珠扫射而来："昨晚到底发生了什么事？你怎么会跟凌岩一起出现在酒吧里？怎么还发生了斗殴事件？你们都是公众人物啊，怎么就没点分寸啊？！"

舒雅南当即坐起身，稳了稳神，说道："这么快就传开了？"

"网上都已经炸开锅了！你看看今天的娱乐头条吧！"

舒雅南挂断电话后，马上上网。

《影帝凌岩夜店斗殴，同行女子疑似女星舒雅南》

《凌岩冲冠一怒为红艳，夜店摔砸打人形象尽毁》

《影帝凌岩夜店打人，疑为争风吃醋》

这些是门户网站重大头条新闻的标题，而论坛里，更是炸开了锅。知名八卦论坛里，关于凌岩打架的帖子，一夜之间盖上无数层高楼。一系列图被放出，可以清清楚楚地看出，凌岩面目狰狞地打人的一幕。还有的照片有她的身影。接着有人开始"扒"她。

当年她风头正盛时与凌岩恋爱，两人的关系公开后，凌岩的曝光率大大增加，一时间备受关注，话题不断。后来，她淡出娱乐圈，不再炒作这段情侣关系，只尽量以自己在圈内能够用上的资源帮助凌岩。凌岩对外宣布单身，是两人共同商议的结果。只有单身，才有利于跟女明星捆绑炒作，制造绯闻，而不会背负出轨、花心、劈腿等负面消息，受到舆论谴责。于是，舒雅南成了凌岩的隐形女友。

如今，两人这次在打架事件里共同出现，在公众看来，他们是暗度陈仓，再续前缘。

接连两天，舆论炒得沸沸扬扬，都在围绕着舒雅南和凌岩。一个个"福尔摩斯"的分析，将原本很简单的事情，弄成了纷繁复杂的罗生门。言论大多是攻击舒雅南的，说她复出后人气不再，于是抱住如今已是巨星的前任大腿，还将前任卷入是非中，制造高曝光率。

舒雅南在明珠电视台进行下期节目彩排时，苏娜打来电话：“我跟凌岩经纪人约了时间，你下午赶回来，我们跟那边碰个头。一起商量对策。”

“凌岩也去吗？”舒雅南问。

“嗯。”苏娜应道，“下午两点，别忘了。”

舒雅南放下电话后，心里有些烦躁。

那晚离开酒吧后，她一直没有跟凌岩联系。对，她在刻意忽略他，她不想在意他为她做的一切。她就想让他觉得她是个凉薄的人，断了复合的心思，两人从此再无瓜葛。

幽静的茶室内，茶香缭绕。

苏娜与凌岩的经纪人商谈着具体细节，而凌岩对面的位置是空着的。苏娜察觉到凌岩的目光，呵呵笑道：“Anya 在路上堵住了。”

“没事。”凌岩语气淡淡地道。他掏出烟盒，说，“我出去抽支烟。”

苏娜目送着凌岩的背影，还有他鸭舌帽下压着的一层白纱布，低声叹了一句：“他是想跟 Anya 假戏真做吧。”

凌岩经纪人扯唇笑了笑：“这不明摆着吗？为她打架受伤不说，现在又要把事儿往自己身上揽。说句实话，出于利益考量，我并不赞同这种做法。但凌影帝现在大牌了，他的意思我们也左右不了。”

苏娜接口道：“你也别小看我们 Anya，她可是被新世纪定位为未来的当家花旦力捧，一飞冲天是迟早的事，到时候谁沾谁的光还不一定。”

凌岩站在走廊上，看着窗外的百年古木，一口接一口地抽着手中的香烟。

舒雅南赶到指定地点时，先入目的就是凌岩高大的背影。

凌岩听到脚步声转过身，看到她脸上还没消退的瘀青和额头的那块创可贴，一双英挺的剑眉皱了起来，眼底又是恼怒又是心疼。

他熄灭烟头，三两步上前，将舒雅南抱入怀中。

“老婆，是我不好。是我犯了错，惹你生气。如果我们一直像从前一样好好的，你就不会复出，更不会认识什么见鬼的宫垣。”

“你不要再说这些没用的话。”她挣扎着，他却抱得更紧。

“老婆，我知道错了。我发誓，以后再也不招惹任何女人。我们好好过日子吧，不要再折腾了。”凌岩用恳求的语气道，“我们结婚好吗？马上就领证，去你老家办婚礼。你想要多么热闹梦幻的婚礼都行。我可以休假半年，你不是最想让我陪你旅游吗？我们结了婚就去度蜜月，环球旅行。”

舒雅南在他怀里安静了下来。

凌岩轻轻抚着她的发丝，这一刻，能够这么静静地抱着她，他觉得这段时间慌乱不安的心终于平稳地回到原位了。

他抬起她的脸庞，她的表情很平静，平静到他原本澎湃的心蓦地抽痛。

她静静地看着他说道：“如果你在一年前对我说这些，该有多好。那样我会成为这世上最幸福的女人。现在……一切都迟了。”她推开他，退离几步，在与他几步之遥处站定，“凌岩，我不会给你再次伤害我的机会。是，分开了我会心疼，我也会难受，刚分手那段日子，我只能依靠药物入眠。但我走过来了。我不想以后的日子在疑神疑鬼中度过。我不要有裂缝的破镜重圆，我不想成为耿耿于怀的怨妇，我不要这样的人生。请你，成全我的碧海蓝天。”

“雅雅，你别这样……”

“凌岩，我不是跟你闹，更不是怄气，我要开始自己的新人生，一个忘记过去伤痛的新人生。”

凌岩只觉得仿佛被抽去了全身的力气，快要站立不稳。

他深吸几口气，有些语无伦次地说：“雅雅，你……你别这样……别用这种超脱的表情看我……我们在一起六年，不该是这种结果的……我从没想过跟你分手，以前只是吓唬你……”

说着说着，他便有些哽咽了：“我……你这样，我没有心理准备……你怎么就这么拗呢……人家夫妻都床头打架床尾和，你为什么就是不肯原谅我……我们跟真正的夫妻，除了那张纸还差什么吗……这六年我们相依为命一起走过来……在我心里，你就是我老婆……”

舒雅南转过身，说：“言尽于此。我们进去谈正事吧。”

次日，凌岩方面召开记者会，就此前的暴力事件做出回应。

凌岩出道以来，绯闻一直不少，但他从没有正面回应过。包括半年前，他与雯靖被“狗仔”拍到同入酒店，最后因当事人的沉默和电影《传奇》主演的公布，被认为又是一次炒作。虽然他是圈内花边新闻最多的人，却丝毫不影响他的人气，反而保持了很高的话题度。凌岩的粉丝们说，这是因为我们岩岩太迷人！

凌岩唯一对外公开过的恋情是还在默默无闻时，与当时风靡亚洲的女子团体队长Anya在一起。自从公布恢复单身后，逐步走红的他，绯闻不断，却没有正式承认的恋情。

记者会上，凌岩坐在无数摄像机前，黑色短发下是藏不住的白色绷带。他表情严肃，目光诚恳，面对镜头说道：“这次事件，我对公众做了不好的示范，产生了恶劣的影响，我向大家道歉。希望广大影迷们不要效仿我这个负面例子。当时因为女朋友被人欺负，我失去了理智……”

马上有记者发问：“女朋友是舒雅南吗？”

“对。是她。”凌岩点头。

全场哗然。记者们都跟打了鸡血似的，争先恐后地发问。

“舒雅南六年前为什么退出娱乐圈，跟你有关系吗？”

“你们是一直在进行地下恋情，还是最近才复合？”

“舒雅南正在参加《天籁之音》比赛，你跟秦安是圈内好友，你会动用关系，保她一路晋级吗？”

“舒雅南为什么在沉寂六年后，再一次复出呢？”

“我与舒雅南相恋六年，当年她为了经营我们的感情，退出娱乐圈。如今她复出，是因为她心中有着一个歌手梦。而我，将全力支持她追逐自己的梦想。我相信她凭借自己的实力，能够在那个舞台上越走越远。即使一时失败也没关系，我会一直在她身旁陪伴她，就像当年她义无反顾地支持我。”说到这儿，凌岩微微一笑，眼底泛着点点水光，“那天晚上我们去酒吧，是为了庆祝她顺利晋级。本来挺高兴的事儿，遇到一群闹事的欺负她，于是我失去理智了……”

凌岩的一番话，赢得了记者们的满堂喝彩。

网上的舆论更是被推倒了一个新高潮。痴心，长情，为爱奋不顾身，现实中的爱情童话……种种说法铺天盖地，都在称赞凌岩够男人。接着有自称是《传奇》剧组的工作人员出来爆料，说舒雅南也参演了《传奇》，而凌岩正是为了保护她，背部被灼伤。爆料者还放上了图片。图片上，凌岩紧紧牵着舒雅南的手，带着她飞奔，身后是熊熊火焰和弥漫的浓烟。这猛料一放出，无数粉丝为凌岩心疼落泪。

事态被炒至白热化，凌岩舒雅南成为公认的“国民情侣”，真爱模范。两人六年的爱情长跑，舒雅南的为爱牺牲，凌岩的痴情守护，传成一段又一段的佳话。众多公众号不停地撰文，微信圈里被诸如此类标题的文章刷屏——

《你敢像凌岩一样疼自己的女人吗》

《活成像舒雅南那样的女人，征服最有魅力的男人》

《有一种爱情叫作凌岩和舒雅南》

《只要舒雅南和凌岩还在一起，我们就要相信爱情》

……

寰亚大厦，副总经理办公室。

宫垣沉着脸浏览那些新闻报道，问道："所以，他们现在是复合了？"

陈秘书说："舒雅南方面并没有出面否认，应该是复合了。"

宫垣正巧浏览到凌岩的照片，眼里寒光毕现。

陈秘书又说："他们毕竟在一起六年，复合也是意料之中。"

宫垣合上笔记本，仰靠在沙发椅上。一时间，室内气氛压抑至极。

"少爷，你还要继续追求舒小姐吗？"陈秘书率先打破这片死寂。

宫垣放在扶手上的手，紧了又松，松了又紧，半晌后，语气淡淡地道："不用了。我想得到舒雅南，不过是为了打压轻音，彻底断了他的欲念。现在她跟那个男人在一起，对轻音同样是种刺激。她被其他男人守护，不需要他，他就没有出现的理由。"

他表情淡漠，拿过桌上的一份文件，翻阅起来。

陈秘书沉吟片刻后，问："那么，之前为舒小姐准备的，是不是都要终止？"

"是。"

“本周末晚上的安排，是不是也要取消？”

宫垣甩下文件，脸色阴沉，厉声道：“这种简单的事情，也要请示我吗？是不是还要我亲自给餐厅打电话，取消订餐？”

别墅内，雯靖歇斯底里地闹着，不断地摔砸东西。

凌岩闲坐一旁，抽着烟，冷冷地道：“我不是来看你发疯的！”

“凌岩，你是瞎了眼吗？！我哪里不如那个黄脸婆？！我比她年轻！比她漂亮！你都跟她六年了，难道就不腻味吗？”

凌岩弹了弹烟灰，冷眼斜睨她：“你还真就哪里都不如她！”

雯靖气急，道：“你以为甩了我就一了百了吗？你玩弄我的感情！我要向媒体曝光你的无耻行径！”

凌岩无所谓地耸耸肩，说道：“随你。不过我得提醒你，公众对‘小三’的容忍度为零。至于男人，只要回归家庭就会得到祝福。这样的例子在圈内并不少见。想想你毁的是谁，自己好好掂量一下。”

“凌岩！你怎么能这么对我！我为你怀过孩子呀！”

“孩子……”凌岩脸色骤然一冷，站起身，逼近她，“你以为我不知道，你在避孕套上动了手脚？我们在一起时我就说过，我以后要跟舒雅南结婚。我没有给过你天长地久的承诺，更没说过要娶你。你心甘情愿跟我在一起，又为了绑住我，不惜制造出注定被扼杀的生命。”

“不……”雯靖流泪不止，不断后退，“我不想这样的……是你逼我的……我没想到你这么狠……”

“我打算娶的女人只有舒雅南。也只有她，可以为我生孩子。”

“既然你这么在乎舒雅南，为什么还要跟我好？！”雯靖崩溃地大叫。

“跟你不过是疲劳期的调剂罢了。”凌岩依旧漠然，冷眼看她，“我早就说过，我要娶的人是她，是谁说不计较名分，不在意分享，只要跟我在一起就行？雯靖，我从没骗过你，更没有玩弄你的感情，是你自己，越来越贪得无厌。”

雯靖脸色一阵青一阵白，猛地捂住耳朵，歇斯底里地尖叫着：“够了！凌岩，你这个人渣！我恨你！”

“不过是场男欢女爱的游戏，既然想玩，就要玩得起。”凌岩潇洒地转身。

随着“砰”的一声响，大门合上。

雯靖跌坐在一片狼藉中，崩溃到痛哭流涕。

眼睛哭到红肿的她，表情渐渐狰狞起来。

舒雅南……舒雅南……

你想方设法把凌岩勾引回去，还让他这么羞辱我……

都是你……我恨你！

寰亚大厦。

会议室的门被推开，站在玻璃窗前俯瞰的明毓转过身，面带笑容迎上前：“垣垣……”

宫垣神色冷凝：“注意你的称呼。”

明毓眼里闪过懊恼，轻咬下唇，不甘不愿地喊了声：“宫总。”

宫垣在沙发上落座，平静无波的双眼就那么看着明毓：“那天在酒吧，是怎么回事？”

明毓心里一沉。该来的，终究还是来了。

那天下午……

宫垣俯首办公桌前签批文件。经过预约的明毓走入办公室，拿出一个厚厚的文件袋放在宫垣眼前。

“前几天去了美国一趟，把你以前治疗中的一些零碎资料都带回来了。你换新的主治医师，可以将这些一并移交，对他全面掌握你的情况会有帮助。”

“嗯。”宫垣头也没抬，淡淡应声。

明毓见他冷漠如斯，心中隐隐作痛。她眼里有着挣扎和纠结。

寂静片刻后，宫垣说：“没事的话，你可以走了。”

那一瞬间，明毓眼里闪过一抹决绝。她从包里掏出一本画册，说：“我顺便去看望了阿姨。阿姨一切都好，精神也比之前好很多了。”

宫垣正在签字的手顿了一下，但他没有开口，也没有抬头。

明毓接着说：“她说她很想你，晚上常常睡不着觉，做梦会梦到你……她希望你能抽空去看看她……”

宫垣的坐姿有些僵硬了。

明毓将手中的画册摊开，递上前，放在他的办公桌上，说道：“这是她托我带给你的手绘本，她说这些日日夜夜都在折磨着她……”

宫垣心跳骤乱，大脑一阵眩晕。他猛地合上画册，用力将它甩到地面上，失控地吼道：“把这东西拿走！”

明毓上前一步，轻声说着：“垣垣，她毕竟是你母亲，如果你对她无法释怀，就永远驱不走心魔。”

宫垣豁然起身，步伐踉跄，差点摔倒。他脸上血色褪尽，煞白一片，眼神时而清明时而混沌，手臂及时撑住桌子才让自己堪堪站稳。

“垣垣……”明毓走近他，试探着碰上他的手臂，说道，“要不我们找个时间一起去美国，看望阿姨？”

“滚——”宫垣用力甩开她，身体失衡地往后退去，直到撞上玻璃幕墙，眼底和头脑中一片混乱。

圆圆……你爸爸要抛弃我们了……

你怎么有着跟他一模一样的眼睛呢……我看到你这双眼睛就很生气啊……

我真恨不得把你的眼珠子挖出来……

小杂种……你该跟那个贱人一起去死……

一重又一重女人的声音，夹杂着凌乱不堪的画面，在记忆的尘埃里破土而出，穿心刺骨，呼啸而来——

圆圆……对不起……救救妈妈吧……

圆圆……妈妈是这个世界上最爱你的人……

圆圆……你不能怪妈妈……

只有你能救妈妈……圆圆……你要救妈妈……

“啊——”宫垣抱着脑袋，发出痛苦的嘶吼。他一脑袋撞在厚厚的蓝色幕墙上，虚脱的身体贴着墙面下滑。

“垣垣……”明毓试探性地靠近他。

渐渐地，宫垣僵硬的身体舒展开来。他从地面上站起身，伸手撩了撩头发，仿佛那短发是满头长发般。

他看到明毓，右眼轻眨，一个极尽媚惑的电眼飞出：“嗨，好久不见。”

“Rose？”她问。

Rose 一声轻哼，将自己上下打量了一番，不悦地噘着唇道：“每次出来都看到自己穿着这身死板的衣服，宫垣能不能有点品位啊……”

抱怨的同时，他已经脱下西装外套，扯开系得一丝不苟的领带，又甩掉手表。

“Rose 姐……”明毓靠近一步。

Rose 当即后退，说道："别过来啊，看到你这丫头就晦气。人家好不容易才出来一趟，别想那么快就把我弄回去。你和陈秘书这两尊瘟神，都离我远点。"

明毓笑了："我带你出去玩，怎么样？"

Rose 狐疑地看了她一眼："你这丫头，吃错药了？"随即一甩头，"我才不相信你对我那么好。"

"谁说我是对你好了？我是为了帮助垣垣啊。我早就该明白，融合治疗是不可能的。我应该让大家都开开心心，和平共处。"

"总算是开窍啦？你就该让宫垣想开点，不就是借用一下身体和时间嘛，不要那么吝啬嘛！"

"想让垣垣接受这点还是比较困难，不过我会慢慢开导他。"明毓诡异地一笑，"今晚我带你出去玩，不能让垣垣知道哦。"

Rose 露出一个你懂的笑容，眨了眨眼，说道："我怎么会让那个冷阎王知道呢？"

明毓又说："走之前，你得为我做件事。"

"一万件都行。"Rose 毫不犹豫地说。

"从现在开始，不要说话，不要动。保持十分钟。"

"为什么呀？"

"你想不想出去玩？"

"想！"于是，Rose 乖乖地不动不说话了。

明毓走上前，将他抱住。他刚要说什么，她伸手堵住了他的唇："不要说话，十分钟。你开口说一个字，我们的约定就失效。"

Rose 闭嘴。

明毓紧抱着宫垣，闭上眼，满脸的依恋，轻声道："好久没有这么抱过你了……一直很想你……很想你……"

垣垣，对不起……

当你的人格陷入紊乱，当他们犯下不可弥补的错，你内心深陷痛苦，会让你再次需要我……

你会发现，在你最无助和唾弃自己的时候，只有我，不离不弃，甘之如饴，陪在你身边。

为了得到，只有毁灭。

我会用我的爱，助你再次重生。

明毓抬起头，看着宫垣，眼底有晶莹的东西在闪烁，她的手指压上他的唇："不要说话，不要动哦。"

她放下手指，轻轻踮起脚，碰上他的唇。

Rose 瞪大眼，一脸无法忍受的嫌弃表情。

滚烫的热泪流下……为什么她会迷恋这个男人，即使他冷心冷情，一个身体被多重人格占据，她仍然逃不开这情劫。

Rose 猛地推开明毓，用力搓着唇瓣说道："讨厌啦……居然被一个女人非礼了……"他委屈地娇嗔，"十分钟到了，还不快带我出去玩！"

那天的回忆在脑海里悉数涌上，明毓心里慌了。

宫垣冷冷地盯着她："为什么要给我看画册？为什么要带 Rose 去酒吧？明毓，你是想成为我的敌人吗？"

他犀利冷冽的目光，令她快要招架不住。那双眼睛仿佛能窥破任何谎言，让所有辩解归为徒劳。原本想说两人是在酒吧偶遇，可是想好的一套腹稿，打好的算盘，在他的目光下，都似跳梁小丑的把戏，自取其辱。

"不……不是的……"明毓连连摇头，"我只是转达阿姨的问候和她的东西，我没想到会让Rose出来……Rose跟我闹，我就敷衍她……我都是为了你好啊……”明毓心里的慌乱越来越甚，她背在身后的手暗暗收紧，接着说道，“在酒吧里，Rose跟人玩闹，我原本打算带她走，谁知道那个女人突然出现，与人起了冲突，惹恼了那群人……她还拉着你乱跑……混乱中，我没来得及追上，也不知道到底发生了什么事……”明毓咽下一口唾沫，漂亮的眼睛诚挚地看着他，“后来知道你没事，我才终于放下心。”

“如果我有事，你现在就不会站在这里，”宫垣声音冰冷，表情更冷，“而是在为自己的行为付出千百倍惨痛的代价。”

她心里颤了一下。

宫垣冷笑道：“据我所知，你父亲明望之三年前回国发展，做风投和并购，目前他操作的项目是速康药业。不过，他的好日子就要到头了。”

男人的笑容，令明毓由骨子里窜出一股寒意，她不安地问：“垣……宫总，你什么意思？”

宫垣站起身，冷眼注视着她：“看在你陪过我两年的分上，这次我只给你们明家一点教训。你要还敢兴风作浪，别怪我让你家破人亡，流落街头。”男人阴冷的眼神中充满残酷与狠厉，“你很清楚，我做事向来不留余地，最喜欢株连。再招惹我，我会让你们明家上上下下都痛恨有你这个人存在。”

明毓的身体和心都在瑟瑟发抖。她不是没听说过他在商场上杀伐果断的行事作风，可他在她跟前，是无助的患者，是温和的恋人……她从未见过他如此冷酷，令人惊恐莫名……

她怎么忘了，他是从地狱里爬出来的人……他身上的血是冷的……

“我真的是为你好……出了这样的事我也不想的……”明毓哭着道，“你别对付我爸……他心脏不好，血压高，如果投资血本无归，他承受不了……”

“小小的教训，以后学乖点。”

宫垣转身离开会议室。

男人决绝的背影在视线里消失，明毓再也支撑不住，跌坐在椅子上。原本一切都在计划之中……她计划得完美无缺，失去时间和记忆的他，不会知道真相……

都是因为舒雅南的出现，搅了局……

Chapter 11 强吻

她的双眼，是温柔荡漾的春水，

是融化冬雪的暖阳，

是划破黑夜的一道光……

舆论一片沸沸扬扬时，舒雅南只是埋头练歌练舞。两位经纪人原本商量的策略是，舒雅南与凌岩一道出席记者会，大大方方地秀恩爱。这个提议被舒雅南毫不犹豫地拒绝了。

苏娜骂她傻，又说：“凌岩愿意用自己的影响力捧你，这是求之不得的好事，你怎么就不好好把握呢？作为‘天王嫂’站出来，有什么不好啊？！难道你要对媒体说，六年的爱情长跑终结于凌岩的出轨？你确定你要这么毁他？这一招对你没有任何好处。现在的观众喜欢晒甜蜜秀恩爱，可不喜欢苦情戏那一套。凌岩人气受挫，对你一点好处也没有。而且，他的脑残粉会强烈反弹，对你进行大肆攻击。”

舒雅南说：“我没想要毁他。我也没想靠他。我只想自己一步步往前走。”

最终苏娜妥协了，说道：“那好，我们沉默，外界的风雨让它去。你既不打算跟凌岩唱对台戏，也不想跟他联袂演出，最好的方式就是保持沉默，当作什么事儿都没有。”她在心里补了一句，反正最后你总会受益。

事实证明，的确如此，即使是凌岩单方面的声明，舒雅南这边的沉默也被看成是默认。舒雅南复出后的第一炮算是彻底打响了。

在电视台录节目时，一群队友纷纷跟她要凌岩的签名。舒雅南平日里脾气很好，没有一点架子，更没有“老娘当年红的时候你们这群小屁孩还不知道在哪儿混”的颐指气使。她跟大家有说有笑，能帮忙的地方都是尽量帮，在参加节目的一众学员里有着极好的人缘。尤其是在她“天王嫂”的身份公之于众后，大家更钦佩她的低调和亲和。

由于身份地位差距太大，其他学员之间那种微妙的嫉妒和竞争关系，在她这里都不存在。大家分外欣赏她，分台对垒时，只暗暗祈祷不要跟她对上。因为一旦是跟她 PK，必然是淘汰的结局。

舒雅南全身心投入，走过一轮又一轮，最终成为秦安队里晋级决赛的选手。

她不遗余力地为决赛做准备。

高档法式餐厅内，舒雅南与凌岩相对而坐。端着托盘的侍者身姿优雅地穿梭着，餐厅内回荡着优雅的卡农小提琴曲。空气里，乐声飘扬，酒香馥郁。

凌岩切着盘子里的牛排，对舒雅南说："赏个脸，笑一个？不然被拍到，还以为我们在闹不和。"

舒雅南嘴角勉强弯起一抹笑。

距离决赛只有三天，苏娜说安排她出来放松放松。她没想到，这个放松就是跟凌岩一起共进晚餐。她扭头就想走，经纪人发来微信说："宝贝啊，你马上就要比赛了，到时候是在八万人的体育场，由现场观众投票哦。你知道民心的重要性吧？你也知道凌岩是'国民男神'吧？你现在跟他吃个饭，被记者拍一拍，回头在媒体上露个脸，那些伉俪情深的报道，能为你赢得多少粉丝的心啊。"

她咬牙切齿地回过去："我不需要！"

"宝贝，不要任性。如果你今年二十岁，我啥也不说了。可是你已经三十岁了，没多少时间走弯路了。女人三十岁才红的例子，你能找出几个？

"乖，吃个饭而已。大家心知肚明，只是炒作。凌岩欠你那么多，现在帮你是应该的。你就别那么较真了，吃亏的是自己啊。"

眼见苏娜那边还是正在输入中，舒雅南暗叹一口气，回道："我知道了，娜姐，但是以后这种事，希望你提前跟我商量。"

"下次一定会，还不是怕你死拗嘛！宝贝乖！"

于是，舒雅南重新坐回到位子上，与凌岩面对面共进法式大餐。

餐厅另一端，僻静的角落里，宫垣与刚签订合同的合作伙伴相对而坐。两人举杯虚碰，用法语浅笑交谈。宫垣身着烟灰色三件套西装，双腿交叠，姿态闲适优雅，黑钻袖扣在灯火下熠熠生辉。

用餐完毕，两人相继起身，随行侍者恭敬地递上他的黑色大衣。穿过一条走道时，宫垣的脚步缓了下来。

他的目光落在某处。男人握起女人的手，亲吻她的手背，女人面带微笑。

陈秘书随着宫垣的步伐顿住步子，目光随之看去，问道："是舒小姐，少爷要去打个招呼吗？"

"不用。"宫垣声音冷硬，转身离去。

安排人送走合作商后，宫垣对陈秘书说："我自己开车回去。"

地下停车场。

宫垣上了司机开来的黑色路虎。这一块区域是餐厅专用的停车场区位。他坐在车内，迟迟没有发动车子。

片刻后，凌岩和舒雅南出现在视线里。

凌岩揽着舒雅南的肩膀，舒雅南皱眉道："难道这也是摆拍吗？这里没有记者吧？"

"这你就错了。"凌岩微笑，"停车场是'狗仔'最喜欢潜伏的地方。如果我们现在一前一后冷若冰霜，状态就不对了。"

车内的宫垣听不到他们在说什么，只能看到他们依偎在一起，凌岩一脸笑意。

宫垣的手在方向盘上握紧，眼底窜起不明怒火。

凌岩拍了拍舒雅南的肩膀，亲昵地调侃着笑道："作为大电影女一号，怎么能连这点演技也没有呢？”

“我倒真是见识了影帝的一流演技。”她面容带笑，眼里全是讥诮。

凌岩看在眼底，却毫不介怀，他笑着揉了揉她的发丝，说道：“嗯，我不介意跟雅雅分享表演艺术心得。”

舒雅南只是一声哼笑，懒得再多说什么。

凌岩将她的脑袋往胸前埋了一下，说道：“笑容没有爱意，不合格，不能上镜，重来。”

舒雅南挣扎着钻出脑袋，还没来得及开口骂人，身体猛地被人往后扯去。

“宫……宫总？”她瞪大眼看着这个突然出现的人。他怎么会在这里？

宫垣板着一张脸，一言不发，拖着舒雅南转身就走。

凌岩脸色一沉，挡在他身前道：“宫总，你这是什么意……”他话还没说完，宫垣一拳揍去。凌岩被打蒙了，宫垣又是一拳揍去。

凌岩眼里火星顿现，再也顾不得其他，愤而回击。

舒雅南急了，马上拦住宫垣，将他往后推去：“你住手！”她又转头对凌岩说，“你也够了！跟他打架，你承担得起后果吗？”

凌岩其实并不想跟宫垣简单粗暴地动拳头。因为他知道，一旦自己动手了，就是百口莫辩。面对宫家，他无异于以卵击石。舒雅南的斥责，适时止住了他的回击。

“喂，你……”舒雅南被宫垣拖着离去。

夜色正浓，黑色路虎飞驰在街道上。

舒雅南坐在副驾驶位上，揉着自己的手腕，抱怨道：“宫总，我拜托你，下次能不能别这么粗暴？”

对方不作声。

“你是怎么回事，为什么要跟凌岩动手？”

对方依然不作声。

寂静得诡异。舒雅南诧异地扭过头。

等等……她仔仔细细地看他。因为刚刚跟凌岩的打斗，男人的嘴角有瘀青，他表情乖张，眼神桀骜不驯，紧紧抿着唇，一言不发。

“你……你不是宫垣！”舒雅南惊叫。

车子一个急刹，停在近郊的一片树林里。四下幽暗寂静，只有稀疏洒落的月光。

宫垣下了车，舒雅南随之跳下车，她跟在他身后道：“上次在街边动手打人的就是你，对吧？抢车，飙车到海滩的，也是你，对吧？”

Anger 停住脚步。

舒雅南站到他跟前，看着他。

他脸色紧绷，双唇紧抿。但这次，舒雅南从他的眼神里，看到了愤怒之外的另一种情绪。说不上来是什么，仿佛多了一些生机。

对，他的眼神告诉她，她的猜测是正确的。

舒雅南对他伸出手，微笑道：“你好，我叫舒雅南，这是我们第三次见面。可以告诉我，你叫什么吗？”

Anger 没有作声，也没有回应。但她依然那么笑眯眯地伸着手。半晌后，他伸出手，拍了一下她的手掌。

“你为什么不说话呢？你的声带是正常的，你明明可以说话的。”

Anger 背过身，往前走去。

舒雅南再次追上他的脚步，拉过他的手臂：“你可以说话吗？我很想听听你的声音。”

他表情紧绷且别扭地看着她。

月光下，她笑容甜美，一双桃花眼，眼波流转，盈盈动人。

“我知道你喜欢梳头，你跟我说话，我就给你梳头好不好？梳一个小时哦。”她诱哄般说道。

他艰难地张了张唇，舒雅南鼓励地看着他，他声带混浊地发出了声响……可他听到自己的声音，表情一滞，突然就扭曲了。他一把推开舒雅南，低吼着跪倒在地。

“不要说话……”

“没有人会听你说话……”

“你只要承认自己的罪行……”

“不要说话就好……”

“一切都会过去的……”

他的双拳一下又一下地在地面上击打，十指手背磨破皮流出血，竟也浑然不觉。粗粝的砂石路上，染上殷红的血色。

舒雅南莫名又惊恐地看着他。

他是如此愤怒，可又如此痛苦……

大风刮过，吹开树木高大的树冠，月光泻下，她看到地面上血迹斑驳。舒雅南心里颤了一下，快步上前，从身后抱住她。

她伏在他身上，用尽全力将他的双臂圈住，不让他继续这种自残的行为。

“不要生气了……我不知道你在承受着什么，可是，生气是拿别人的错误惩罚自己啊……不要生气了好吗……”

Anger 跌跪在地，喉咙里发出混浊不清的声音，似绝望的呜咽，又似野兽濒死的悲鸣。

舒雅南移至他身前，跪着直起身子，将他的脑袋按在肩膀上，抱着他，轻轻地抚着他的后背："无论发生了什么，不要惩罚自己……你已经很伤很痛了……"

她怀里的身体起了细微的战栗，脖颈间有冰凉的液体滚下，烫在她的肌肤上，泛起一片灼热。

她将他抱得更紧了，什么都没说，只是不停地轻抚着他。

宫垣从混沌中睁开眼。周遭气息如此熟悉，熟悉到有着那么深的眷恋……仿佛在很久很久以前，这眷恋的气息，就已经陪伴在他身边……可是又缺失了那么久……

这是什么……他失去的是什么……

宫垣抬起头，看到了舒雅南的脸庞。

是她啊……

又是她……

每次醒来后，总会看到的她……

舒雅南见宫垣脸上遍布泪痕，心疼得难以言说。到底是有多深多重的伤，才将自己逼成了人格分裂。她轻轻拭去他的泪水，柔声道："你心里承受了很多，你需要宣泄，对吗？但是，无论如何，不要伤害自己呀。"

他愣愣地看着她，任由她温柔的指尖轻轻拭去他脸上的泪痕。她的双眼，是温柔的春水，是融化冬雪的暖阳，是划破黑夜的一道光……

舒雅南轻轻捧住宫垣的脸庞，微笑着看他："下次出现，不要再打架好不好？我可以陪你玩，可以给你梳头，但我们老老实实的，不要再给宫垣添麻烦了，不要伤害你们俩共用的这个身体，好不好？"

宫垣看着她的眼睛，鬼使神差地伸出手，拉近她的脖颈，两人的唇，碰在了一起……

舒雅南蓦地瞪大眼。怎么回事？

这人前一刻伤心得要死要活的，怎么突然就耍流氓了？！

她手忙脚乱地想要推开他，仓皇间跌倒在地。宫垣顺势压在她身上，扣住她乱动的双手，压在地面上。

舒雅南拼命挣扎，却怎么都挣不开。这个吻，强势、热烈、粗暴。幽静的林间，只有两人的肢体摩擦声和剧烈喘息声。

舒雅南快要无法呼吸时，宫垣终于放开了她。

他翻了个身，仰躺在地面上，闭上了眼，感觉胸腔里的那颗心，跳得不像是属于他自己的。

原来这颗残缺的心，还能这般强有力地跳动……

舒雅南缓过气后，连滚带爬地起身，接连退了几步远。稳定情绪后，她对宫垣怒道："你怎么能这样啊？！"

宫垣听到耳边的声音，睁开眼，缓缓坐起身，揉了揉额头，一副如梦初醒的模样。他转过头，看向舒雅南，眼神迷茫地问："这是哪里？我怎么会在这儿？"

舒雅南：那浑蛋……耍完流氓就缩回去了？

宫垣站起身，动作优雅地拍了拍身上的尘土。

舒雅南愣愣地看着他，问："你……你是宫总？"

宫垣抬起头，简洁有力地回应："是。"

没错……这凌驾众生的气场，这清冷倨傲的表情，除了宫垣不作第二人想。

舒雅南心里憋屈极了，被占便宜后，想吼几句发泄发泄都没对象了。不仅如此，还得迅速切换到面对大老板的状态。

她心里一口气堵得不上不下，但前途命运和职业素养，还是让她对宫垣恭恭敬敬地弯腰俯首，礼貌得体地说：“宫总，你好。”

宫垣泰然自若，神情淡淡地点头，说：“你还没回答我，我为什么会在这里。”

“之前我跟朋友在餐厅吃饭，吃完后下到停车场时，你的另一个人格突然出现了，他拉着我上车，然后一路开到了这里……”

宫垣就像听着下属汇报的领导，颔首示意：“继续。”

“下车后，他变得很暴躁很痛苦，我试图安抚他……然后……”舒雅南心里很是抓狂，她可不能让宫垣知道，她被其他人格强吻了。好吧，君子报仇十年不晚，暂时打落牙齿和血吞，下次那个浑蛋出现时，一定要好好教训他！

“然后他平静了……接着宫总你就醒了……”

宫垣略作思忖，问：“他是不是不说话？”

“嗯。”

Anger……宫垣脑海里浮现出曾经看过的DV画面，他们两人坐在海滩上，她为他梳头，把自己的衣服搭在他身上，他靠在她肩上睡觉……

今晚他醒来时，她正抱着他……苏醒的那一瞬间，他能感觉到Anger内心是从未有过的柔软宁静……

宫垣突然想起了陈秘书编的那段告白情话。

难道他真的……

宫垣脸色一沉，冷冷地道：“以后离他远点！”

“正有此意。”舒雅南愤懑地接口。

她好心抚慰他，他居然耍流氓！太过分了！没法做朋友了！

宫垣觑了她一眼。舒雅南莫名紧张，又说：“那个……我是觉得他太冲动太暴力了，的确离远点比较好。”

宫垣没作声，目光落在她的唇上。舒雅南被他看得心里直发毛。她不知道，经过刚刚那个漫长又粗暴的热吻，她的唇瓣被厮磨得艳红欲滴。

宫垣动了动嘴角，似笑非笑，转瞬即逝。他转身往车上走去，转过身后，迅速松了松领带，缓解体内那股直往上涌的热浪。

舒雅南松了口气，跟着他上了车。如果被宫总知道真相，她感觉以后真没法再见他了。

车子飞驰在马路上，宫垣将窗户开了一半，冷风呼呼地吹进来。

舒雅南瑟缩了一下，低声说："宫总……"

"嗯。"他应声。

"有点冷……"

宫垣又将窗户关上了。

舒雅南心里各种别扭和不自然。她没想到，再次见到宫垣，竟然是发生这种"狗血"事件时。上次得知他的症状后，她特地去查阅了相关资料，很不幸地发现，这种病特别麻烦，很难治，或者说以现有医学水平还无法治疗这种复杂的精神类疾病。

她对他不由得多了些同情，又有着几分好奇，只要一想到那个天真热情的小粉丝西凡竟然是高冷老板宫垣的另一面，就觉得太不可思议了。

车子在舒雅南家大门外停下。

舒雅南微笑致谢，转身去拉车门，拉不开。她回过头看宫垣，提醒他："宫总，门开一下。"

宫垣仰靠在椅背上，打开车窗，从车内拿出一盒烟，掏出一支。修长的手指夹着烟，娴熟地点火，抽了一口后，他不紧不慢地开口道：

“一个背叛过你一次的人，就会背叛你第二次，尤其是当他的背叛不需要付出任何代价时。”

舒雅南一愣，宫老板变成宫老师了？

她很快跟上节奏，点头道：“宫总说得对。”

“不要妄想一个男人会因你而改变。即使一时伪装，最终也会回复本性。”

舒雅南再次点头：“对。”话是非常有道理的……可是，宫总给她灌这些朋友圈里风行的鸡汤是怎么回事？

“你能接受一个男人朝三暮四，拈花惹草吗？”

“当然不能。”舒雅南果断回道。

宫垣朝窗外吐出一口烟圈，回过头看她，懒散的目光倏然间变得深沉又锐利，盯着她的眼睛问：“那你为什么要跟凌岩复合？”

舒雅南心神一凛，不由自主地往后退了退。宫垣的眼神……就像一把看不见的利刃，能直戳向人心口。

她咽了口唾沫，说：“我没跟他复合。好马还不吃回头草呢，我怎么会那么蠢。”

他没有应声，表情微妙。

那无形逼压的气场，令舒雅南再度开口解释道：“这段时间的新闻都只是炒作，是经纪人想出的公关策略。”

宫垣转过头，弹了弹烟灰，说：“舒雅南小姐，你还没红起来就开始欺骗观众了，这种行为好吗？”

舒雅南语塞。本来这件事就非她所愿，而且看到那些炒得火热的文章，说她和凌岩如何如何恩爱，感天动地的爱情长跑，更是让她觉得讽刺得不行。可是，说到欺骗观众……这个圈子里，不是一直都这么真真假假地炒作吗？为什么听他的语气，好像她犯了十恶不赦的大罪？这位老板很讨厌这种不实的炒作方式？

舒雅南斟酌片刻后，说：“宫总说得对。其实我也不想这么下去，我会想办法还原真相。”

宫垣颔首，淡淡应声：“嗯。”

他没说什么话，但车内的气氛，神奇般地缓和了。

舒雅南松了一口气。

不想再继续这个话题，她马上跳频，斟酌着说道：“宫总，我觉得那个不说话的你……内心充满了愤怒和痛苦，你是不是可以试着了解他的内心，为他纾解？”

宫垣掐灭烟头，转过身，揽上舒雅南的脖颈，将她拉近。两人相距咫尺时，他说：“第一，他不是我，任何一个人格都不是我。第二，记住我，不要把我跟他们混淆。第三，除了我，不要接近他们中的任何一个。”

男人的眼里，是不容抗拒的强势，以及影影绰绰的星火。

“为什么？”舒雅南不解地问，“我觉得作为你的人格存在，也是很痛苦的。他们只能在短时间里出现，体会片刻的生命……他们没有朋友，没有家人，甚至没有存在于这个世界的独立身份。”舒雅南轻声说，“什么都没有，只有自己孤零零地存在着。我想，那些人格，很寂寞吧……”

宫垣脸色阴沉，已经有着风雨欲来之势。

舒雅南说：“你们共存共生，你是他们与这个世界连接的纽带，你应该试着关心他们，了解他们，不是吗？”

宫垣猛地推开舒雅南，声音沉冷，眼神阴鸷：“他们就是一群不该存在的怪物！”

他可怕的表情，令舒雅南心中顿生寒意。

宫垣嘴角勾起冷笑道：“关心？了解？我做梦都想把他们一个一个杀掉！”

他用力推开车门，下了车。

舒雅南跟着下了车，走在他身后：“宫总，对不起，可能有的话冒犯你了。但是，我无法把他们当怪物看待。因为在认识你之前，我就认识了西凡，他在我看来就是一个活生生的，有思想，有自我意志的人……”舒雅南顿了顿，又说，“如果他们不该存在，就不会存在。既然存在了，就必然有存在的理由。你拒绝、排斥、厌恶的态度，就真的是对的吗？他们每一个，都是由你分裂出来的。你在逃避的，不过是自己的心……”

“够了！”宫垣蓦然低喝。他转过身，死死地盯着舒雅南，再也不复平日里的高冷骄矜，面上只有无尽的阴霾和怒火。

他逼近她，揪起她的衣襟：“如果那些人格都能感受痛苦，那我呢？我的痛苦，又有谁来偿还？他们寂寞，我就可以交朋友吗？谁会把我当正常人看？外表光鲜的豪门子弟，出类拔萃的高才生，会突然成为娘娘腔，不要脸地纠缠男人！会突然懦弱无比，见人就怕，往桌子底下钻，被人欺负捉弄时哭得浑身发抖！他还会突然变成一个连教授都打的疯子！”

舒雅南愣愣地看着宫垣。

“如果你经历过这些……如果你试过，每天睡觉时都在担心醒来会在哪里；如果你试过，被所有人指指点点，围观嘲笑；如果你试过，走在路上突然有人来打你骂你羞辱你；如果你试过被伤害得体无完肤……你还会容忍那些在你生命里作恶多端，把你的人生践踏得支离破碎的人吗？！”

他眼里的痛苦如此强烈，强烈到令她几近窒息。

舒雅南张了张唇，什么都说不出来。

好半晌，她才能发出声音：“对不起……”

她知道，拥有多重人格一定是件很痛苦的事。但是，经由宫垣说出来，他苦苦隐忍的表情，他悲伤到已经没有眼泪流出来的绝望，让她意识到，他的痛苦是她这种置身事外的人，永远无法想象和体会的……

他松开手，深吸一口气，说道：“我跟他们势不两立，我不会妥协，更不会为了减少麻烦迎合他们。我会用我的方式，控制他们，束缚他们！”

舒雅南脑海里浮现出了一幕幕画面……当轻音出现时，陈秘书的如临大敌……当Anger出现时，一群保安拿着电棍跟在他身后……当圆圆出现时，用力扎进他手臂里的针尖……

她一步步地往后退去。

视线里的宫垣逐渐变小，他的身影融入暗夜中。婆娑的树影，犹如从他体内钻出的张牙舞爪的鬼魅。

宫垣冷冷地站立，一阵大风刮过，拂动着他的发丝，他看着不断后退的她，眼里涌出的落寞、失望、绝望……渐渐被更深的阴霾所覆盖。

月光洒在他俊美的脸上，泛出冷彻心扉的寒意。

他看着她，说：“舒雅南，你想好了，如果选择他们，你就是我的敌人。”

Chapter 12 光芒

六年前，我曾站在这个舞台上。

我在这里哭过、笑过，走过流言蜚语，

走过星光璀璨，与粉丝们一起走过最丰盛的

六年。现在，我回来了。

我要重新唱歌，唱给你们听。

《天籁之音》决赛在即，苏娜陪同舒雅南试穿比赛当晚的演出服装。

明珠电视台节目组提供的备选服装，被苏娜毫不犹豫地拒绝。她果断地给高层打电话，得到首肯后，给公司特聘的一流造型设计师Ben致电。

“走走走，我们去那里试装。这都什么啊，淘宝弄来的吧？”苏娜一脸嫌弃，也不管在场的造型师脸色难看。

苏娜拖着舒雅南风风火火地离去，车上，她将舒雅南看了又看，说：“丫头，你今天状态不对啊，居然连黑眼圈都有了。”

舒雅南不好意思地笑道：“昨晚没睡好。”

“这几天养好精神格外重要。你可别关键时刻掉链子啊。”苏娜赶紧叮嘱道。

舒雅南点头：“嗯。娜姐放心，我有分寸。”

接连几天辗转反侧，她想明白了，无论是宫垣还是他的那些人格，与她的人生只是偶尔交会。既然宫垣的思维已经走入偏执的死胡同里，她也无能为力。她不是专业的心理医生，更不是跟他有深厚的交情，再怎么样都轮不到她来指手画脚。那晚，的确是她失言，多事了。

她不想与宫垣为敌，更不想卷入他的人格斗争中。

一切关心和好奇，到此为止吧。

舒雅南心无旁骛地投入比赛中，马不停蹄地拍短片，练歌，试装，彩排。紧张的一周很快过去，转眼就到了决赛当天。

这场比赛在八万人体育馆进行现场直播，堪比一场大型演唱会。不仅有四名决赛选手，还有各大明星出场，最后颁奖环节的嘉宾更是星光熠熠。《天籁之音》决赛入场票在开售不久就抢售一空，可说是一场万众瞩目的超大型盛会。

决赛晚八点半正式开始，白天还要进行一次彩排。

由于苏娜的高要求，舒雅南的最后一套服装，直到今天才赶制出来。舒雅南和她的团队分头行动。苏娜率先前往体育馆张罗，舒雅南带着一名助理前往公司，试穿最后一款定制服装。

新世纪娱乐大楼。舒雅南在停车场停好车后，走入电梯，按下八楼按钮。

电梯在一楼停下，电梯门打开，宫垣就这么猝不及防地出现在眼前……依然是清雅贵气又气势逼人的万年冰山，在他身后站着两名新世纪的高层。

舒雅南立马点头弯腰：“宫总好。陈总、李总好。”

宫垣面无表情地步入电梯。

陈总笑着问：“今天不是要参加《天籁之音》的决赛吗？怎么还在公司呢？”

“我是来试最后一套演出服装，拿上就过去。”舒雅南回道。

“今晚要好好表现，拿个冠军回来啊。”

舒雅南微笑：“我会竭尽全力。”

电梯在八楼停下，舒雅南再次鞠躬，大步迈出。

电梯门再次合上后，她用力呼了几口气。别看她刚刚有说有笑的，其实紧张得不行。那座直立行走的大冰山，是无法忽视的存在。她从第一眼撞见后，就没敢再多瞧他一眼。

试了服装，一切满意。舒雅南没多耽搁，拿了服装就前往停车场。

小助理乐呵呵地跟她说：“之前我还觉得娜姐太挑剔了呢，可刚刚看南姐穿上那身衣服，我眼都直了！果然是功夫不负有心人！南姐今晚一定会成为最耀眼的人！”

舒雅南笑道："再耀眼也比不过那些要登场的明星大腕啊。"

两人有说有笑地在停车场里走着，突然，一道强光刺来，伴着发动机的轰鸣声，一辆车直冲而来！

"小心！"助理尖叫，反应及时的她拉着舒雅南避开了。

"怎么开车的啊？！没长眼睛吗？！"助理气得破口大骂。

可那辆车在暂停几秒后，拐个弯，再次飞驰而来。舒雅南脸色发白，直觉告诉她，这就是冲着她来的！

"危险！快叫人！"不想连累身旁的助理，舒雅南一把推开她，自己往另一边跑去。幸得长时间的体能训练和舞蹈训练，她速度够快，肢体也够柔韧。

她跑向一侧，迅速爬上了一辆车的引擎盖。这样即使车子撞来，她也不会受到直接冲击。

"砰——"一声巨响，两辆车轰然相撞，地面都在颤动。舒雅南的身体翻滚着，不受控制地滑到了肇事车辆的引擎盖上。透过透明的玻璃窗，她清楚地看到，里面坐着四五个目露凶光的蒙面男人。

副驾驶位上的男人手持铁棒，猛地砸开车子前窗。

"你们在干什么？！"停车场内的保安闻声赶来。

肇事车辆的车门被打开。

舒雅南迅速站起身，趁着他们分神的当儿，穿过车位间的缝隙，拼命往前跑。

他们迅速朝舒雅南追去。

两人在她身后追逐，另外两个人绕道从正面夹击。眼见自己快要成为困兽，舒雅南转向一侧，再次穿过两辆车之间的缝隙。她没命地跑向电梯。那个方向不仅有执勤的保安，还随时会有人出现。

忽听一声轻响，电梯门打开了，宫垣与身后的两名高层一起走出。

“救命——救命——”

远远地，传来女人惶恐的尖叫声。

这个声音……宫垣心神一凛，往声音来源处看去。

宫垣瞳孔骤缩！

他刚要迈出步伐，身体一软，往一侧倒去。

“宫总……”两位高层心惊胆战地扶着他。

宫垣按压着猛然间眩晕的脑袋，脸色煞白一片，迅速道：“快调人！”

“宫总……你怎么了……”

宫垣额头青筋暴起，表情紧绷，咬牙道：“别管我……去救那个女人……快！”他推开他们，身体撞上了一侧的墙壁，扭曲着一张俊脸，恶狠狠地吼道，“她要有个三长两短，你们都给我陪葬！”

那两人颤了一下，再也顾不得担心宫垣了，迅速行动起来。

一级警戒拉响，停车场的入口被封闭。

收到警报的保安部部长安排最近的保安赶往停车场的同时，自己也带着大批人马飞奔前往。

停车场内，舒雅南没命地跑着。人在危险时刻，总能爆发出极强大的潜力。几个男人一时间都没有追上她。

一个男人用力甩出手中的铁棍，铁棍在低空急速飞旋，猛地砸上了舒雅南的小腿。她一声惨叫，扑倒在地。

几个男人很快围了上来。

舒雅南翻过身，双腿已经无法站起，她的手臂撑在地面上，拖着身子狼狈地往后退。她惶恐地看着他们步步逼近，双唇在发颤：“这是犯罪……你们逃不了……”

“嘿嘿！”男人邪笑着，“没那么严重，就是给你点教训。”

另一人气喘吁吁地道："这妞儿也忒能跑了！"

另一边，飞跑过来的两位新世纪高层扬声喊道："住手——"

"快交差走人！"

她眼睁睁地看着上方的人抡起那根铁棍朝她砸下……

她瞳孔紧缩，惊叫着转过脸，抱住脑袋。

挥舞的铁棒带着迅疾的风声，说时迟那时快，另一道迅疾的风声由一侧传来！预料中的疼痛没有袭来……舒雅南哆嗦着双唇，后怕地睁开眼。

映入眼帘的是男人的西装裤，视线上移，她看到了一张熟悉的脸庞。

宫垣蹲在舒雅南身侧，一只手稳稳地接住了那根铁棍，他脸色阴沉，眼里充满可怕的戾气。他反手一转，持棒的人受不住这力道冲击，当即松了手。

此时，赶来的保安已经在不断逼近。那几人见势不妙，转身就跑。

宫垣扶起舒雅南，他眼神剧烈变化，又是心疼又是自责，他的手颤抖着轻轻拨开她的发丝。他抽动着喉咙，艰难地发出声音："雅雅，对不起……我没有保护好你……"

舒雅南靠在他怀里，此时此刻，这世上再也没有比这个怀抱更让她安心、温暖的地方。她窝在他怀里，将他紧紧抱住，犹如快要溺死的人紧紧抱住一根漂来的浮木。

劫后余生的她，上气不接下气地说："谢谢……宫总……谢谢你……"

他的手掌在她脸上游移，声音沙哑至极，却又温柔如水："雅雅……我不是宫垣……我是轻音……是你的轻音……"

医院，VIP 病房内。

舒雅南的右腿受到铁棍袭击，伤到了骨头。医生将她的腿打上石膏，叮嘱她一个月内不要用那只脚下地使劲。

医护人员离去后，舒雅南仰靠在床头。腿上的感觉已经麻木，腰腹上缠着纱布的地方还在隐隐作痛，手臂上更是有着鲜明的刺痛感。

但这些，都不是她难受的根源。

今晚，这场比赛迎来最巅岩的对决。大家都期待着她拿回冠军，结果出了这样的事……她辛辛苦苦准备了这么久，在最后最受瞩目的时刻，却要被迫退赛了……

身上再多的痛楚，都比不过此刻她内心的愤懑与不甘。

轻音走入病房时，舒雅南正垂着脑袋无声地抽噎。她咬着唇，没有发出声音，微微耸动的双肩却泄露了她脆弱的情绪。

轻音蓦地攥紧了拳头，眼底难言的心疼混着极度的自责。

他走到病床前坐下，抬起舒雅南的脸庞，轻声问她："很疼吗？"轻轻柔柔的声音，好似稍微大一点，就会使她受到惊吓。

舒雅南迅速擦去眼角泪水，抬起头："没有……已经好很多了……"

"雅雅，对不起……都是我不好……如果我守在你身边，就不会发生这种事……"轻音握住她的手，"雅雅，我发誓，再也不会让你受到一丝一毫的伤害！"

温柔的声音，炙热的神情，还有那眼底的深深怜爱……这是宫垣那冰山吗？

这不可能是宫垣……

舒雅南从刚刚的沮丧情绪中抽离出来，认真打量起眼前的人……

"你是……轻音？"她试探着问。

“是。”轻音点头。

“你……”舒雅南脑海里浮现出两人最后一次见面的场景。

他在占她便宜之后，刻薄她，羞辱她……

虽然刚刚他救了她，但想起那晚所受的屈辱，舒雅南的脸色冷了下来。

她转开脸，冷冷地道：“谢谢你救了我。我现在想休息，你可以走了。”

“雅雅，你在生我的气吗？”轻音试图握住舒雅南的手，被她猛地甩开了。因为使劲太大，她痛得倒吸一口凉气。

“雅雅……”他不敢再轻举妄动，可又不知如何是好，他的双臂圈在舒雅南两侧，不安地询问着，“雅雅，怎么了？”

舒雅南用力地推开他，说道：“不要再跟我装温柔装深情了！你不是说我不过如此吗？你不是说我放荡吗？你还想继续装情圣，接着又来羞辱我？我谢谢你救了我，但请你离我远点！”

“雅雅，你到底在说什么……我什么时候说过这样的话？你能把话说清楚吗？”舒雅南的厌恶与排斥，令轻音心神紊乱，眼底一片剧烈波动。他将舒雅南用力地抱在怀里，按捺住她所有的抗拒和挣扎，说道，“雅雅，对不起。是我没有陪在你身边，害你受伤。但我发誓，再也不会了。这次我一定要守在你身边。”

舒雅南想要推阻，却因为身上的伤，无法使出太大的劲儿。他将她越抱越紧，她发出不适的痛苦呻吟：“疼……”

轻音当即松开了手，一脸歉意地看着她，无措地道：“对不起，雅雅……”

舒雅南玩不来虚伪的那套，不再拐弯抹角，直接说道：“那天晚上的事情你忘了吗？我相信你的话，以为你没地方去，让你住在我家里，我还打算聘用你当我的助理，可你是怎么对我的？你轻薄我，羞辱我……”她深吸一口气，说道，“那些话我已经不想再重复了。但是，我不会让一个侮辱我的男人再次靠近我。”即使他只是宫垣的一个人格，但他们每一个在她看来都是不一样的人。

“那天……”轻音脸色一变，问道，“你是说我们一起从横店回来那次？”

轻音表情激动，抓住舒雅南的肩膀说：“那天在飞机上我睡着了，你记得吗？我在睡梦里被困住了！你叫醒的不是我！直到今天，我才出来！”

舒雅南满脸愕然。

轻音眼里浮出无法压抑的戾气，自言自语着：“是谁……谁在冒充我……对，宫垣！一定是他！除了他，其他人没这个胆子！”

他抓着舒雅南的肩膀，盯着她看：“他轻薄你了？欺负你了？你告诉我，他是怎么欺负你的？他把你怎么了？”

舒雅南蒙了。

剧情发展完全出乎意料……

“真的……不是你吗？”

轻音压抑着剧烈的情绪，脸色恢复平静，温柔地对舒雅南道：“雅雅，我对你怎么样，你难道不清楚吗？我连勉强你都不舍得，怎么会伤害你、羞辱你？”

舒雅南愣愣地看着他。

轻音低下头，贴着她的额头，低声呢喃：“雅雅，你是我存在的意义。我的全世界，只有一个你。我宁可伤害自己，也不会伤害你。你懂吗？”

“为什么呢……”舒雅南喃喃自语，“他为什么要这么做……”

轻音笑容变冷："他是冲着我来的。"他又问舒雅南，"告诉我，他到底把你怎么样了？"

舒雅南莫名不安，他们俩共用一个身体，如果彼此仇视对立，会不会造成毁灭性伤害？

她放松表情，语气淡淡地说道："就是扮成你，亲了我，说了一些刻薄的话……"她当然不会说，当时两人都已经擦枪走火，她的衣服被他剥掉了大半……也正因为如此，她才会对他的羞辱那么生气。

可是，宫垣……居然是他！怎么会是他？

他那种高冷禁欲"面瘫"的人，怎么会做出这种事？

轻音俯身，捧起舒雅南的脸庞，吻上她的唇。

"唔……"思绪还在混乱中的舒雅南猝不及防，嘴巴被堵住了。

他扣住她的后脑勺，加深了这个吻。

他的吻强势又温柔，细密地落在她的唇上……

两人近在咫尺，他说："我是你的轻音。不要用眼睛，用你的心，记住我。我不会再让宫垣对你越界分毫，能吻你的，只有我。"

舒雅南愣愣地喘息着。

病房的门突然被推开，苏娜急匆匆地跑进来。眼前的画面，让她定在原地。

轻音转身看去，苏娜点头哈腰地笑道："不好意思、不好意思，我来得不是时候，我先出去，你们继续。"

"娜姐！"舒雅南脸都黑了，说道，"别开玩笑了！"

苏娜轻咳一声，走上前道："我听到你受伤的消息，第一时间跟节目组沟通了，那边说可以调整时间，让你晚点登台。你现在怎么样？还能演出吗？"

舒雅南苦笑，掀开被子，指着自己腿上的石膏说道："医生说，一个月内不能下地使劲，我还怎么演出？”

“这么严重……”苏娜惊呆了，转头看向宫垣，“宫总，据说您当时也在现场，怎么回事调查出来了吗？”

“那几个人已经被扣留调查，很快会有结果。”轻音眼里有暗光闪过，他冷冷地道，“他们和那个幕后主使，我都不会放过。”

苏娜瞧瞧舒雅南的腿，又瞧瞧她胳膊上的纱布，表情就跟奔丧似的，连叹了几口气后，无奈地道：“你好好休养，我去跟节目组说明下，今晚你不能登台了。”

眼瞧着苏娜拿出手机，舒雅南心里一阵酸楚，眼泪都快流出来了：“娜姐，我们能不能想个办法，我真不想放弃……要不我就坐着轮椅上台唱？只是唱歌，去掉舞蹈部分就好了。”

苏娜斟酌了片刻，说：“丫头，算了吧，别逞强。一旦到了比赛现场，会有很多意料外的事情发生，万一影响你的腿康复怎么办？比赛是一时的，长远发展更重要。而且，你这形象上台，很可能吃力不讨好。现在的观众，不是那么喜欢苦情戏。”

“你今晚要登台？”轻音插话。

“是啊，《天籁之音》总决赛，雅雅都准备几个月了，好不容易走到决赛这一步，眼下这身伤，得退赛……”苏娜唏嘘不已，都热泪盈眶了。一半是真伤感，另一半是想博取大老板的怜悯，以后多给些资源补偿补偿。

“谁说不能参赛？”轻音笑道。

苏娜和舒雅南齐齐看他。

轻音俯身，撑在舒雅南床侧，微笑道：“雅雅，我是你的忠实歌迷。你放心唱，我全程陪伴，不会让你有任何状况发生。”

哎？

“等等……宫总……那个 Anya 上台演唱，你怎么陪伴啊？”苏娜有点摸不着头脑了。

轻音完全无视了她的话，依然看着舒雅南，冲她眨眼道：“不过我有一个小要求。”

晚上八点半，体育馆内座无虚席。

《天籁之音》巅岩对决，正式拉开帷幕。

主持界一姐夏妤与她的黄金搭档周朗，在万众呼声中走上中央大舞台，介绍今晚比赛的赛制。

原本开场会有四位决赛选手相继亮相。但是，为了配合舒雅南的情况，流程改动了。在主持人报幕完毕后，舞台两侧的超大屏幕上播放第一位登场选手的 VCR（VCR：指录像）。在热烈的掌声中，舞台中央升起，歌手登台演唱。

三位歌手相继带来精彩的演出后，大屏幕上出现了舒雅南的身影。

“六年前，我曾站在这个舞台上。我在这里哭过，笑过，听过流言蜚语，看过星光璀璨，与粉丝们一起走过最丰盛的六年……”伴着她的声音，是一段段过往的画面，有她开演唱会时，参加活动时，举办签售时……一张张兴奋的脸庞，一次次万众瞩目……

场内，舒雅南的粉丝们忍不住落泪，齐声高呼：“Anya——Anya——Anya——”

当年的小天后，退出娱乐圈多年被淡忘，经过这几个月的比赛和凌岩的绯闻炒作，回到了人们的视线中。老粉丝纷纷奔走相告，“女神”又回来了。“女神”她别来无恙，不仅美丽不减，更多了妩媚的女人味和经岁月洗涤出的大气优雅。一段时间内，舒雅南的粉丝团迅速复苏，以爆发的势头增长。

VIP 看台上，凌岩和他的经纪人以及几个娱乐圈内好友一起坐着。这几个朋友都是交好了几年的人，知道他和舒雅南的事。

他们看着大屏幕上的过往回放，也不禁唏嘘感慨："你是上辈子拯救了银河系吧，昔日光芒万丈的女神就这么为你放弃了大好星途，成了你身后的女人。"

另一个朋友知道凌岩在外面拈花惹草的那些事儿，数落道："你以后可得专心点对人家。外面的小姑娘有什么好的，哪里比得上你家里的女神！"

凌岩苦笑道："这不是年轻不懂事吗？谁没个犯浑的时候。"一朝得志，飘飘然忘乎所以，想用一切来证明自己，财富、名利、地位、女人……

但是，她在他心里的地位从来没有动摇过。什么是真情，他心里还是很清楚的。舒雅南是他的初恋，是他在落魄潦倒时绽放的爱情之花。他爱慕她，感激她，发誓要一生一世对她好。

VCR 里的画面接近尾声，伴着一声霸气的宣告："现在，我回来了——我要重新唱歌，唱给你们听。你们要不要听——"

"要——"全场是震耳欲聋的应答声。

大屏幕熄灭，四下里一片黑暗。

寂静的黑暗中，响起了车子的引擎声。

一束追光打下，一辆银色兰博基尼全球限量版顶级概念超跑驶向舞台。炫酷的车型，令现场起了一阵骚动。

又一束追光打下，一辆红色的法拉利驶上舞台，同样是全球限量款，现场骚动更甚。

第三束追光打下，一辆保时捷驶上舞台，第四束灯光下，是一辆捷豹。

四辆豪华超跑驶上舞台后，引擎轰鸣，绕场飞转，全场尖叫不断。最后四辆车停在了舞台四角，车上分别走出吉他手、贝斯手、键盘手、鼓手等。

灯光骤然熄灭。

音乐响起，低沉的贝斯和吉他音，环绕全场。

带有独特磁性的女声，伴着《让每个人都心醉》的音乐起调。

“城市一片漆黑，谁都不能看见谁，除非紧紧依偎……”

一辆车身镶满了钻石光辉熠熠的布加迪威航，开着敞篷，缓缓驶上舞台。

“我让自己喝醉，没有你我就不能入睡，整夜又整夜地徘徊……”大屏幕上出现了舒雅南的脸。她坐在布加迪威航的车门上，身上穿着蓝色的星海长裙，一条手臂上缠着一截漂亮的镶钻蕾丝，上面是一个闪闪发亮的“N”。

布加迪威航缓缓前行。舞台上，星星点点的碎芒如羽毛飘下。漫天的蓝色灯光，交织变幻。她犹如在茫茫大海上的美人鱼，又如在浩瀚星空中最璀璨的那颗星子，没有一丝累赘修饰的黑色长发，被风吹得翩跹起舞。

“我说过，我绝对不会后悔，寂寞是被原谅的罪……爱情怎么让每个人都心碎……怎么去安慰……爱情怎么让每个人都流泪……”

舒雅南的声音带着天生的伤感气质，当她沙沙的婉转的声音响起，全情投入地唱着这首感人肺腑的情歌，四下一片静默，所有人都被带入到她忧伤的歌声中。

大屏幕上，她美丽的脸庞如花绽放，双眸微合，眸中晶莹闪烁。

她的表情如此忧伤，这不仅是在唱歌，更是在诉说着一段缠绵悱恻又心碎不已的爱情。

“爱情怎么让每个人都心碎……怎么去安慰……爱情怎么让每个人都流泪……你的泪烫伤我的脸……那一次我尝到伤悲……”

VIP 看台上，凌岩的经纪人感叹：“这哪是比赛啊，瞧这声势，完全是 Anya 的个人演唱会嘛！”

又有人说：“姜还是老的辣啊，其他几个选手都有些怯场，不太放得开。Anya 上了舞台，完全是游刃有余。”

“她毕竟红过。当年红磡演唱会，场场爆满，这种场面自然不在话下。”

“我还真期待她开演唱会了。”

“经过这几年的沉淀，她的声音更有质感了。”

一首悲伤的情歌唱完，全场都沉浸在忧伤的情绪中。

舒雅南说：“我出道以来，唱过很多伤感情歌。今天晚上，我想再唱一首甜蜜的情歌，好吗？”

“好——”现场响起热烈的呼声。

“这首歌不是参赛曲目，我把它送给一位朋友，也送给现场的每位观众。”

舒雅南手一扬，现场节奏顿换。曲风变得轻快，观众们惊喜地发现，这是一首极为熟悉的歌——《简单爱》。

迷离变幻的蓝色幽光退去，舞台上骤然亮如白昼，接着是万紫千红的炫目灯光，最后变成了一颗颗满空飞舞的粉红色的心。

舒雅南挥舞着双手：“会唱的朋友，跟我一起唱！”

“说不上为什么，我变得很主动，若爱上一个人，什么都值得去做……我想大声宣布，对你依依不舍，连隔壁邻居，都猜到我现在的感受……”

车子停在了舞台中央。

坐在驾驶座上的男人，身穿白色绲金燕尾服，脸上戴着半截的金丝绒面具。他微微起身，搀扶住舒雅南，她顺势坐在座位上，靠在男人肩头。

“我想就这样牵着你的手不放手，爱能不能永远单纯没有悲哀……我想带你骑单车，我想带你看棒球……”

她就像个情窦初开的小女孩，时而靠着男人的胳膊笑着，时而拉起他的手一起在半空挥舞。这熟悉经典的旋律，欢快甜蜜的氛围，一扫刚刚忧郁心碎的凄迷之境。

全场都在随着节奏齐声大合唱。

“我想就这样牵着你的手不放开，爱可不可以简简单单没有伤害，你靠着我的肩膀，你在我肩膀睡着，像这样的生活，我爱你，你爱我……”

男人面具下的那双眼睛，一瞬不瞬地追逐着她……

一如曾经，她在他身边，唱歌给他听……

那些记忆中的画面，依然如此鲜明……

“圆圆、圆圆……”女孩推门而入。

男孩从桌子底下爬出，脸上绽开笑容：“雅雅……”

女孩将他拉了起来，双手捏着他的脸蛋说：“圆圆不乖哦。都跟你说了多少次，不要钻桌子底下，很脏的。”

男孩捏着衣角，不安地绞着：“我忘了……雅雅不要生气……”

“小笨蛋，我怎么会生你的气呢！”

她轻轻地拍了拍他的脸庞，脸上的笑容比窗外三月的春光还要灿烂。他看着她，跟着傻笑起来。

她带他来到书桌前：“圆圆，我今天不能陪你一起画画了哦。学校要举办文艺晚会，我们班有个歌唱串烧，我得跟小伙伴们一起排练呢。”

男孩的表情当即垮下去了，低低应声：“哦……”

“圆圆乖哦，我回来给你带好吃的，好不好？你想吃什么？”她眉飞色舞地问。

小男孩咬着嘴唇，好半天才回道：“都行……”

“那我先走了，乖哦。”她揉了揉他的脑袋，转身离去。

她打开房门，正要出去时，回头一看，书桌前已经没人了。女孩表情无奈，往回走：“圆圆，怎么又躲去桌子底下了？要听话哦。”

她走到壁橱旁，只见男孩缩成一团，抱着双腿。

“圆圆……”她拉扯他。

男孩抬起头，眼泪吧嗒吧嗒直往下掉。

他赶忙扭过头，一声不吭，不停地擦着眼泪。

女孩叹了口气，也钻进桌底，抱住她，轻声哄道：“圆圆乖，不哭啊。好嘛，是我不好，我不该爽约，说好了要陪圆圆画画的。我带你一起去玩好不好？”

男孩缩在她怀里，拼命地点头。

绿色的草地上铺着一块大毯子，几个少男少女，一起弹弹唱唱。女孩跟大家嘻嘻哈哈，批评批评这个，指点指点那个。但是，她的一条胳膊，始终揽在小男孩肩膀上。

“嘿，雅雅，这是你弟弟吗？”

“对呀。”她笑眯眯地揉了揉他的发丝，说道，“超级可爱，超级漂亮吧？以后一定是迷倒全校女生的校草！”

“小帅哥，我们交个朋友好吗？”另外一个女生想靠近时，男孩皱着眉头往她怀里钻。

她哈哈大笑："圆圆，没事儿啦，她就是想跟你玩。那个姐姐人很好哦。"

他还是缩在她怀里，脑袋贴在她胸前，像只鹌鹑，怎么都不抬头。

她不好意思地揉着他的脑袋笑道："我弟弟很怕生。"

这一下午的活动，她怀里始终搂着那个瓷娃娃般精致漂亮的小少年。她跟同伴们嬉闹，末了总不忘捏捏他的脸颊，陪他说说话。大家分来零食，她会亲自喂给他吃。

众人看着直呼受不了："雅雅，你也太宠你弟弟了吧……"

"我也好想有这么漂亮的弟弟啊，可爱死了好吗……"

"喂我一口，喂我一口……"一个男生觍着脸蹭到她跟前。她一脚踢回去："滚滚滚，一边凉快去。"

"怎么对我就那么凶啊……啊呀，你弟弟瞪我了……"

"活该你！"

她笑眯眯地对怀里的小男孩说："圆圆，来，跟我一起唱。这首歌很好听哦，等你学会了也唱给我听。"

"说不上为什么，我变得很主动，若爱上一个人，什么都值得去做……我想大声宣布，对你依依不舍，就连隔壁邻居，都猜到我现在的感受……"

几万人狂欢的体育馆内，热浪一波接一波，欢快的乐声还在有节奏地响着。舒雅南的身体随着节奏摇摆，手臂在半空挥舞，脸上笑靥如花："大家一起唱给我听好不好——"

她将麦克风递到身旁男人的唇边，冲着他笑。

男人随着节奏唱了一句："我想就这样牵着你的手不放开……爱能不能够永远单纯没有悲哀……"

格外好听的男性声音，在现场又掀起了一阵骚动。舒雅南对他做了个“胜利”的手势，拿起话筒重新唱起来。

一片浪漫甜蜜的氛围中，在万人大合唱里，他跟着哼唱这首歌，面具下的双眼湿润，闪亮，目光柔软至极。

• • •

Chapter 13　苏醒

在一片无边无际的黑暗中，

他如何挣扎都无济于事。

是她的声音，一遍又一遍，一次又一次，由

另一个世界传来，

带着光和热，穿透了将他困住的地狱。

每一声、每一声，都让他的力量更加强大。

终于，他挣脱了束缚，睁开了眼。

舒雅南下台后，经纪人苏娜扑上来拥抱她，激动得热泪盈眶：“Anya，你太棒了！你真的太棒了！不愧是当初Miss的老大！你强大的台风，就算坐在车里，也惊艳全场了！”

苏娜说的丝毫不假。舒雅南的表现出彩至极，对于其他几位选手，可说是全方位碾压。后台的工作人员纷纷对舒雅南表示祝贺。

第一轮表演结束后，四位选手相继登台。这一次，舒雅南坐在轮椅上，由身穿白色燕尾服脸上覆着半截金丝绒面具的轻音推上台。

全场哗然。他们完全没想到，之前在舞台上表现精彩绝伦的Anya居然行动不便。这时候观众们纷纷恍然大悟，难怪会有一场别开生面的豪车秀。

主持人夏好说：“Anya今天遇到了一些意外，其实并不适宜参加比赛。但她刚在医院做完接骨，就赶来了现场。她说她不想在比赛的最后留下遗憾，更不想让支持她的粉丝们失望……”

主持人的话还没说完，现场已是掌声雷动。她继续用煽情的语调说着，VIP看台上的凌岩皱起了眉。

他站起身，经纪人问：“你去哪儿啊？”

“我去后台看看她怎么回事。”凌岩将帽檐压下，戴上面罩，大步赶往后台。

第一轮演唱结束，现场观众投票结果揭晓，舒雅南以70%的得票率获得压倒性胜利。她将进入安全区，另外三名选手进行比赛，淘汰掉一位。到最后，她与获胜者进行冠亚军之争。

后台专用休息室里，舒雅南在造型师的帮助下，换下一套登场服装，灰蓝色透视雪纺长裙，礼服上的关键部位点缀着花朵。她满头黑发蓬松地盘起，发上戴的花环点缀着零碎的星形水晶。这是设计师Ben为她量身打造的礼服，也是苏娜百般挑剔力求完美的一套。

当她穿着这身礼服长裙被造型师从里层的化妆间推出时，候在休息室内的工作人员皆倒吸一口气，在片刻寂静后，是此起彼伏的惊叹和赞美。舒雅南坐在轮椅上，眸若秋水，唇若朱丹，白皙通透的肌肤就像刚剥完壳的鸡蛋。她微微一笑，波光潋滟的桃花眼分外迷人，似醉非醉，万千风情尽在其中。

“天哪，就像从宫廷油画中走出来的美人！”

“南姐，你美得没有真实感了！”

“南姐，我是你的颜粉，请收下我的膝盖……”

“只有南姐能驾驭这么仙气这么浪漫的礼服啊……”

轻音坐在沙发上，手臂搭在扶手上，双腿优雅地交叠。他的视线自始至终没有从她身上移开，但双唇微抿，一言不发。

苏娜适时将舒雅南推至轻音跟前，一脸谄媚地笑道：“宫总，你觉得雅雅这身打扮怎么样呀？”

“不错。”轻音微微点头。

咦？怎么没有出现意料中的惊艳？苏娜还以为大老板会满眼桃心乱飘呢。

轻音说：“没什么事都出去吧。”

苏娜可是个人精，当即听出了大老板的意思。他嫌这里人太多太吵，干扰了他和 Anya 的甜蜜时光！苏娜立马将休息室清空，对舒雅南说：“距离你再次登台还有一段时间，你先好好歇着。有任何安排变动，我随时来通知你。”说完，她再次对轻音鞠躬，退出去了。

休息室内只剩下了他们俩，舒雅南有点不知所措。

轻音将舒雅南从轮椅上抱起来，抱到沙发上坐着。他圈着她纤细的腰肢，下巴轻轻搭在她肩头，声音带了点撒娇，轻轻道：“不喜欢那么多人看你。”

舒雅南无措更甚。他们俩这算是什么情况？

她不知道怎么接口，更不知道跟轻音说些什么。液晶电视上播放着现场实况，她佯装心无旁骛地看节目。身旁人轻浅的呼吸吹拂在耳畔，带来阵阵痒痒的感觉。片刻后，她实在忍不住，说："我想喝果汁……"

轻音抬起头环顾室内，说道："这里只有矿泉水。我出去帮你拿。"

"好的。"她忙说，"我要猕猴桃汁。"

轻音离开后，舒雅南长松了一口气。从医院到现在，他对她是寸步不离，虽然他在悉心照顾她，但那不经意间流露出的深情令她不知所措。

休息室的门被推开，舒雅南以为是轻音回来了，抬头一看，原来是一位不速之客。

凌岩大步走入，在与舒雅南四目相对时，愣在原地。

他脸上写满惊艳，好半晌后，愣愣地道："雅雅……你真美。"

舒雅南眼里闪过一丝不悦，嘴上还是客气地问道："有事吗？"

凌岩回过神，走到她身旁，紧张地上下打量着她："你怎么了？哪里受伤了？腿不方便吗？"

当他想要掀开她裙子，查看她腿上的伤势时，被舒雅南推开："我很好。不劳你费心。"

冷漠的语气，瞬间拒人于千里之外。

"凌老师是今晚的颁奖嘉宾吗？这里是参赛选手的休息室，你走错地方了。"

"雅雅，我是来看你的。"凌岩坐到她身旁，抓住她的手，"告诉我，你到底出了什么事？为什么会受伤？现在来比赛真的没问题吗？你不要硬撑，身体最重要。”

舒雅南想要甩开他的手，说道：“凌岩，我的事情与你无关。”

“怎么会没关系？”凌岩有些气恼，抓着她的手不放，“雅雅，没人比我更关心你！”

“放开她。”这时，一道冷如万年寒冰的声音响起。

凌岩和舒雅南同时往门边看去。

轻音的身影出现在门边，他一只手扶着门，一只手端着一杯猕猴桃汁。他冰冷的目光盯着凌岩，反手将门合上，款款走入。

舒雅南有种不寒而栗的感觉。强烈的低气压，由轻音身上散发而出。他面无表情，却比暴怒的人更可怕。

凌岩感觉到敌意，说：“这是我跟我女朋友之间的私事，与宫总无关。”

轻音走上前，攥住凌岩的手臂，凌岩的手顿时脱离了舒雅南的手。凌岩皱起眉，想要摆脱轻音，可他的手掌竟像把铁钳，无法挣脱分毫。轻音另一只手将端着的猕猴桃汁递给舒雅南，柔声道：“慢慢喝。”

动作优雅的他，另一只手死死地钳制着凌岩。当舒雅南接过那杯果汁后，他一个用力，将凌岩由沙发上拖起来。凌岩倒吸一口凉气，咬牙道：“宫总，你不要太过分了。”

凌岩疼得不行，挥出另一只手，想要揍他。拳头在半空被拦截，轻音掌控着他的双手，将他拉近，朝他的胸腹袭去。

只听“砰”的一声响，凌岩的身体重重地撞上大门。

“够了！”舒雅南惊叫。她慌乱之下就要起身，被轻音及时上前扶住。

他蹙起眉，柔声叮嘱：“雅雅，你的脚不能落地。”

舒雅南斥道：“有话不能好好说，非得动手吗？”

轻音冷冷地注视着稳住身体的凌岩，说道：“他冒犯了你。”

“你……”舒雅南不知如何是好。她并不了解轻音，只知道他温柔时特别温柔特别绅士，可一旦动手又特别厉害，厉害到可怕。

舒雅南不想再节外生枝，低声劝道：“我知道你是为我好，到此为止吧。”

另一边，凌岩惊疑地看着轻音……到底怎么回事？上次在停车场两人也发生过冲突，完全不是这种感觉……这一次，他身手极为迅捷，最为惊悚的是，当他制住他的手时，就像一把坚硬的铁钳，那是一种匪夷所思的力量……

可是，在舒雅南家那次，他又像个无知幼童，畏畏缩缩地躲在桌底下哭泣……

凌岩惊疑的目光上下打量着宫垣，就像看一个异类，一个怪物。

舒雅南说：“凌岩，我就要登台演出了。有什么事等今晚比赛结束再说好吗？”

凌岩与舒雅南对视三秒，点头道：“好。”他再次狐疑地看了轻音一眼，转身离开休息室。

舒雅南暗暗松了一口气。如果凌岩较真闹起来，记者们蜂拥而至，就有好戏看了。备受瞩目的《天籁之音》决赛后台，一个商界巨子和一个新晋影帝，为了一个女人大打出手，不知道会传出多少乱七八糟的新闻。

轻音把舒雅南放回到沙发上，柔声叮嘱：“不要再乱动了。”

舒雅南说：“轻音，今天真的很谢谢你。”

如果不是他，她不会获救；如果不是他，她不可能有机会站在这个舞台上表演。最糟糕的是，她可能现在正在医院急救，下辈子能不能登台都是未知。

轻音环住她的腰，嗅着她的发香，说道："雅雅，永远不要对我说谢谢。我为你做任何事，都是理所应当的。"

"但是，轻音，你这样会给宫垣惹来不必要的麻烦。"舒雅南话锋一转，表情严肃地道，"且不说暴力事件会给他的形象带来影响，你与他平日行事作风迥异，也会引起别人怀疑。"

刚刚凌岩那诡异的眼神，让她心里直打鼓。迄今为止，凌岩已经见过了西凡、圆圆、Anger、轻音甚至是Rose，那次在酒吧，他也见识了……这么多次天差地别的感觉，他再迟钝也会有所察觉……

"一旦宫垣的病被人发现，会带来可怕的后果……"舒雅南忧心忡忡地道，"他是宫家大少爷，寰亚继承人。他的情况直接关系到整个寰亚集团。"

轻音脸上的笑容渐渐收敛，他坐直身子，扳过舒雅南的脸庞，双眼审视般盯着她道："你很在乎宫垣吗？"

舒雅南一愣，回道："他是你的主人格，你为他考虑难道不是应该的吗？"

轻音再次道："我问你，你很在乎宫垣吗？"

舒雅南被逼无奈，答道："这不是什么在乎不在乎，我只是站在公正客观的立场。你们应该互相着想，这样才能和平共存。"

"和平共存？"轻音笑道，"我为什么要跟他和平共存？"

他抬起她的脸庞，眼里闪着狂热的光："雅雅，我想跟你在一起，每分每秒都想跟你在一起。只有杀了他，我才能实现自己的心愿。"

舒雅南脸色一变。

轻音继续道："他的病曝光，对他是种灾难，对我却并非如此……"他嘴角弯起一抹邪恶的笑，"当他承受不了世人异样的目光，想要躲起来时，我就可以把他彻底困住。”

“你……”

“这样我就可以永远陪在你身边，时刻守护你。你再也不会受到丝毫伤害。”他轻柔的声音里带着蛊惑般的魔力，他眼里是令人无法不信服的诚挚与热烈。

可是，另一种眼神，那漫天风霜的凛冽，那百年孤寂的冰冷，那深深埋藏的哀恸……

如果你试过每天睡觉时都担心醒来会在哪里；如果你试过被所有人指指点点，围观嘲笑；如果你试过走在路上突然有人来打你骂你羞辱你；如果你试过被伤害得体无完肤……你还会容忍那些在你生命里作恶多端、把你的人生践踏得支离破碎的人吗……

那天宫垣的话再次回荡在耳边，想到他悲伤到已经没有眼泪的表情，他拼命压抑的痛苦与无助……舒雅南心底颤了一下，蓦地推开轻音，坚定地说：“不！不能这样！你不能这样对宫垣！他是无辜的！你不能害死他！”

她的力气并不大，轻音却被推得往后一退。

好半晌，他只是看着她，没说话。

舒雅南手足无措，低头抱住脑袋，语无伦次地说道：“抱歉……我、我很乱……我不该夹杂在你们的人格斗争中……我对自己说过，我要远离你们，不要再跟你们有任何瓜葛……”

轻音靠近舒雅南，抬起她的脸庞，盯着她道：“宫垣是无辜的，那我呢？我就是罪有应得？雅雅，是你让我苏醒……你又要把我关进黑暗的牢笼里吗？你这样对我，你知道有多残忍吗？”

舒雅南无法与他对视，转开脸说道：“你不要胡说八道！”

轻音嘴角缓缓勾起一抹笑：“你还记得见过我几次吗？”

没等她作声，他替她回答了。

“第一次，你和宫垣被绑架，你被轻薄时……第二次，片场发生爆炸，你置身火海时……第三次，就是今天，你遭遇危险时……而我，除此之外，再也没有出现过。”

“你……”舒雅南猛地转过头，愣愣地看着他，“你的意思是……”

“雅雅，我是你的轻音啊。”他轻轻的声音，似宠溺的低唤，又似发自灵魂的叹息，“只有你能唤醒我。”他抓着她的手，放在自己唇边，深深烙下一吻，呢喃道，“你怎么能残忍到让我消失……”

舒雅南倒吸一口凉气，喃喃道：“怎么可能……为什么会这样……”

在此之前，她根本不认识宫垣，为什么他的人格会跟她有纠缠？

“雅雅，这就是我们的宿命。我们一起杀了宫垣，然后再也不分开了，好吗？”轻音眼睛一眨不眨地凝视着她，眼里带着极度的炙热与渴望。

“不！不行！”舒雅南扭过头，不敢再看轻音带着蛊惑的眼眸，说道，“我们不能这样！”

“你喜欢宫垣。”轻音豁然起身。他用的不是疑问语气，而是肯定语气。笃定的语气带着深深的刺痛。

“我没有！”舒雅南当即反驳。

“如果不喜欢他，为什么要在意他的死活？”轻音呼吸急促，眼神不复镇定，说道，“雅雅，你不能喜欢他！你该喜欢的人是我！我是为你而生的轻音！”

“我真的没有！”舒雅南反驳，“我没有喜欢他！”

可是轻音已经听不进去她的话，他执拗地盯着她问：“你为什么喜欢他？他哪里比我好？只要是你喜欢，我都可以做到啊。”

“我没有……”舒雅南被他疯狂的眼神逼得心慌意乱。

“Anya，”休息室的门被推开，苏娜风风火火地走入，说道，“你要准备登台了哟。”

“出去！”轻音一声低喝，苏娜浑身一抖，当即往后退了几步，关上门。

轻音在室内踱步，俊美的脸阴沉得可怕，他冷冷地道：“他敢勾引我的女人，我要让他万劫不复……”

“我听不懂你说的话！什么叫为我而生，我真的不懂！你冷静点，不要迁怒于宫垣！”

“你还在偏袒他？”轻音顿住步子，目光幽暗。

舒雅南惶然不安。他要干什么？他会用宫垣的身体，宫垣的身份，做出无法挽救的事情吗？

“我现在就去寰亚。”轻音一身杀气，说着就要往外走，“有些事再不做就迟了。”他没有时间了，如果他的女人被抢走，这一切还有什么意义？

“轻音……你不能这样……这样只会让你们玉石俱焚……”舒雅南颤声道。

你清醒了吗？

是，我清醒了……

因为你一直在叫我……

脑海中浮出那次跟宫垣的对话，舒雅南心神一凛，对着轻音的背影大叫：“宫垣——你醒醒——快醒醒——”

轻音瞳孔骤缩，转过身，难以置信地盯着舒雅南：“雅雅，你……要杀了我吗……”

“不，我不是要杀你，你现在需要冷静。”舒雅南扶着沙发，单脚起身，跳向轻音，抓着他，不管不顾地喊道，“宫垣——”

“为什么要这么对我？”他的声线不复华丽优雅，带着惶恐，刻着伤痛，“我只想永远守护你……我做错了什么……”

舒雅南的心紧紧缩成一团。

可是她知道，只有宫垣出来，才能稳定局面。她安抚着抽痛的心，拼尽全力喊道：“宫垣——你醒醒——你不能这么懦弱——宫垣——快出来——勇敢一点——”

“啊——”轻音抱着脑袋，跌倒在地面上。

“宫垣——你醒醒啊——宫垣——”舒雅南刚跳下沙发，就被地面上翻滚挣扎的轻音绊倒，跌倒在地。

她爬到他身侧，抓着他的身体，盯着他的眼睛，不停地喊道：“宫垣——我在叫你，你听到了吗，宫垣——”

轻音的瞳孔时而骤缩，时而涣散……

“舒雅南……”缓缓聚焦的眼神，看着倒映在瞳孔里的脸庞，他轻轻地叫出声，“舒雅南……”

“是我……是我……宫垣，你快醒醒……”

眼神又一次骤然凝聚时，他死死地盯着她，双眼噙着泪光，沙哑的喉咙艰涩地发出声音：“我到底做错了什么……为什么要抛弃我……我竭尽全力地守护你……为什么，还是要抛弃我……”

舒雅南心如刀绞，转过脸，无法再看那双眼睛，噙了满眶的泪无声滚落。

地面上的人，缓缓睁开眼，环顾四周。感觉到眼角的冰凉，他抬手擦拭着自己的脸庞，是泪水……

舒雅南手撑着脸，哽咽着喃喃自语：“对不起，轻音……宫垣是无辜的……他已经伤痕累累……我们不能再伤害他了……”

宫垣走到舒雅南身旁，将她从沙发上扶起，泪眼模糊的她与他对视。他的手抚上她的脸庞，拭去她的泪水。

“舒雅南……”

“你……是宫垣？”舒雅南哽咽着问。

“是。”宫垣点头。

舒雅南激动难抑：“你终于出现了……你知道你让人多担心吗……”

宫垣凝视着她，素来清冷的眼底，眼眶在发红发热。他双臂用力，将她紧紧地抱入怀中。

像以往每次一样，他睁开眼看见的，依然是她……

在一片无边无际的黑暗中，他如何挣扎都无济于事。是她的声音，一遍又一遍，一次又一次，由另一个世界传来，带着光和热，穿透了将他困住的地狱。每一声，都让他的力量更加强大。终于，他挣脱了束缚，睁开了眼……

他看到了她。

她泪眼婆娑，脸上满是痛苦……

从来没有一个人，这么为他担心过。

从来没有一个人，在他被困住的时候，一声又一声地唤醒他。

不再是一个可怕的怪物，不再是冰冷孤寂的世界……

这个女人，带着一团灼热耀眼的光，穿透了他残缺不全的心……

宫垣将舒雅南抱得越来越紧，拼命感受着她的体温。

他已经有很久没有这么用力地抓过什么，久到他忘了渴望是什么感觉。

因为他知道，无论什么，最后都不会属于他。抓得越紧，只会让自己越疼，让那颗满目疮痍的心溃烂得更加严重。

可是现在，他只想紧紧地用力地抱着她，感受她的体温，感受自己的心跳……

他还活着，即使身体被另一个人格占据，他依然活着，他可以努力夺回自己，他不再是被恐惧被遗弃的怪物……

他发干发涩的喉咙缓缓地发出声音：“舒雅南，你为什么不早点出现……你怎么能让我独自熬了那么久……”

休息室的门再次被推开，苏娜火急火燎地道：“没多少时间了，Anya，你必须准备上台了。”

她的目光投入室内，顿时愣住了。

怎么回事？这两人坐在地上抱成一团……刚刚上演了什么催泪剧吗？

这霸道总裁之前还一脸凶狠，把她快吓死了，怎么突然变了画风，神情那么温柔又悲伤？

舒雅南回过神，当即推开宫垣，手足无措地擦着泪，转头对苏娜道：“要登台了吗？快，给我补妆！”

工作人员在苏娜的招呼下，蜂拥进入室内。他们将舒雅南重新扶到轮椅上，为她打理妆容。宫垣坐在一旁，静静地看着被一群人簇拥的舒雅南。

苏娜附到舒雅南耳边，轻声道：“你跟宫总刚刚到底干吗了呀？”

“没什么。”舒雅南道。

“你少忽悠我。你瞧瞧宫总看你的眼神，啧啧，我这颗心都要融化了好吗？”

舒雅南看也不看宫垣，将脑袋埋得低了些，轻斥道：“你不要乱说话！”

等到舒雅南打点完毕，苏娜已经没有工夫把她推倒宫垣跟前邀宠，只是弯腰鞠躬请示：“我们送 Anya 登台了。”

流光飞舞的舞台上，舒雅南坐在一个华丽精致的船型吊篮里，从半空缓缓下落。穿着一身仙气十足的浪漫梦幻礼服裙的她，犹如童话故事里的公主，又如神秘从林里走出的花仙子。她刚一亮相，惊艳全场，引发阵阵尖叫。

灯光蓝绿交错，烘托出朦胧之境。悠远空灵的调子响起，她拿着麦克风，双目微合，悠长的海豚音响彻全场。和声响起，她再次随着节奏，发出婉转动听的轻吟。

她睁开眼，俯瞰人头攒动的现场，目光落在了一个渺茫的虚空中。

在医院时，他对她说：雅雅，我是你的忠实歌迷，我要陪在你身边听你唱歌。不要去管那些观众，你就唱给我听。

也不知在黑暗中究竟沉睡了多久……

也不知要有多难才能睁开双眼……

我从远方赶来，恰巧你们也在……

痴迷流连人间，我为她而狂野……

我没有太多时间，但我会用所有时间陪你。

我是轻音，记住我，不要忘了我。

是这耀眼的瞬间，是划过天边的刹那火焰……

我为你来看我不顾一切，我将熄灭永不再回来……

我在这里啊，就在这里啊……

你是谁……

我是轻音。

轻……音……

为你而生的轻音。守护你的轻音。

这是一个多美丽又遗憾的世界……

我们就这样抱着笑着还流着泪……

我从远方赶来，赴你一面之约……

痴迷流连人间，我为她而狂野……

我怕自己睡着后，醒不过来……

一定要叫我，雅雅……

我不要再沉睡在看不到你的地方……

我是这耀眼的瞬间，是划过天边的刹那火焰……

我要你来爱我不顾一切，我将熄灭永不再回来……

我在这里啊，就在这里啊……

惊鸿一般短暂，像夏花一样绚烂……

全场一片寂静。《生如夏花》被演绎出一种绝望的凄美。在她的歌声里，有生的辉煌灿烂，有死的痴缠唯美，而这一切，凝结在一瞬间中，永恒成了刹那，刹那成了永恒……

台下的观众心弦被触动，热泪盈眶。

舒雅南染上哽咽的音色，飙出海豚音：“一路春光呀，一路荆棘呀，惊鸿一般短暂，像夏花一样绚烂……这是一个不能停留太久的世界……”

舒雅南在舞台上演唱时，宫垣坐在距离舞台最近的核心区域，静静地看着她。

你后悔了吗？舒雅南，你后悔叫醒我吗……

为什么这么悲伤？你喜欢轻音吗……

你们之间到底发生了什么？你喜欢上他了吗……

VIP 看台，凌岩已经回到位置上。

他压低帽檐，戴着面罩，没让经纪人发现他脸颊的瘀青。在全场观众如痴如醉地听着舒雅南演唱时，凌岩心如刀绞。曾经她也是光芒万丈地站在舞台上，但那时，他可以走到她身边，可以拥抱她亲吻她。如今，他虽然功成名就，不再是昔日那个名不见经传的落魄龙套小演员，可他已经连关心她的资格都没有了。

她不再需要他，不再听他的话。眼看着她卷入一个危险的旋涡中，他怎么拉都拉不出来。

舒雅南演唱完毕，现场的导师们发表点评，几人都是毫不吝啬地大力夸赞她。

“沉淀了几年就是不一样，这首歌太好听了……”

“前奏响起时，我觉得她选错歌了，可她居然唱出了生与死的那种强大的爆发力……”

“生命的绝望与美丽，惊鸿一般的短暂，却像夏花一样绚烂。我很久没有听到唱得让我这么感动的歌了……”

这一晚的总决赛，舒雅南毫无悬念地拿了总冠军。后期的颁奖环节，由于她行动不便，由经纪人苏娜上台代为领取。

宫垣往后台走去时，凌岩拦在了他身前。

宫垣站定，冷冷地注视着他。

凌岩说："借一步说话。"

宫垣冷声道："商务洽谈致电秘书处，私人邀请提前预约。"

"关于舒雅南，没有时间聊几句吗？"

宫垣目光微沉。

活动结束后，舒雅南的手机几乎是振动个不停，收到各种道贺信息。很多当年在圈子里结识但久未联系的朋友，纷纷发来贺电。但她知道，这个舞台，仅仅只是一个开始，是她证明自己的开始。未来的旅途，她还要走很远，很远。

后台，苏娜将奖杯放到舒雅南怀里，与大家一起合照。

舒雅南拿着奖杯，弯唇笑起。苏娜敲她脑袋："要不要笑得这么勉强？开心点啊，冠军！你可是大奖得主，别跟奔丧似的！"

舒雅南又笑。

苏娜妥协了："好了好了，你就走高贵矜持的路线吧，不想笑别笑了。"

一轮轮合影结束后，舒雅南上了保姆车，直奔医院。接下来一周，她都得躺在医院里，好好治疗腿伤。

车内，苏娜说："丫头，今晚你这个冠军拿得实至名归。你现场的演唱太棒了。这次的压轴曲目，比你任何一次排练唱得都要好，我都快被你感动哭了。经历过创伤的人真是不一样。"

舒雅南沉默着，眼眶再度发红。在舞台上的那一刻，她忘记了所有观众，她只是把那首歌，唱给那个人听……

不知道他在黑暗中，是否还能听到……

Chapter 14 对峙

我以为有些事会改变……

终究还是没有。

你给过我希望，又给了我绝望。

大门紧闭的会议室内。

宫垣坐到沙发上，为自己点了一支烟。烟雾升腾中，他犹如高高在上的君王，看着眼前的男人。

凌岩开门见山道："宫垣，请你远离舒雅南。"

宫垣发出一声轻笑，带着讥讽和不屑："你有什么立场跟我说这话？前男友还是绯闻男友？"

凌岩俯下身子，撑在桌面上，目光直直地逼视他："即使你是寰亚继承人，即使你身家千亿，也不能改变一个事实，在你光鲜的外表下，是早已腐烂的灵魂！"

宫垣面色依旧，但那双深黑的瞳孔微微收缩。

凌岩继续道："抱歉，我并没有查人隐私的癖好，但是，宫总，你的过去实在太精彩了，无数次伤人记录，还有未成年杀人犯罪……"

"调查我？你够胆子！"宫垣面色如冰，冷笑道，"你难道不知道，我可以让你死无葬身之地？"

"那又怎么样？"凌岩毫无所谓地扯唇一笑，"我站在这里，就已经做了最坏的打算。但是，宫总，你也未必就能高枕无忧。记得在舒雅南家那次吗？你看到我，就像个小孩子，害怕得直哭……还有在酒吧那次，你放荡不羁，跟男人调情……在片场那次，你是个疯狂追星族，做出各种无脑幼稚的行为……这么多风格各异的宫总，也真是令人匪夷所思。如果曝光，不知道对寰亚会有什么影响？"凌岩勾起嘴角，毫无畏惧地看着宫垣冷若冰霜的双眼，缓缓道，"我并不关心你的事。无论你是精神异常，还是想以什么方式发泄自己，都跟我没关系。但是，你这样的人，不该跟舒雅南扯上关系。她不是你发泄的玩物，不要把她拉入你那个丑陋混乱的世界里。"

宫垣掐灭烟头，站起身，与凌岩对视。

“这些年，威胁过我的人形形色色，不在少数。”宫垣冷笑道，“但他们的下场无一例外，余生都在悔恨中度过。凌岩，作为一个戏子，你就好好拍你的戏，不要被媒体追捧得忘了自己几斤几两，更不要分不清戏里与现实的差别。跟我谈条件做交易，你玩不起。”

宫垣眼神凛冽，气势逼人，浑身散发着上位者的强势与冷傲。凌岩的警告和威胁，对他来说好似尘埃般渺小，微不足道。走到门边，他又说：“另外，给我离舒雅南远点。”

离开会议室后，宫垣赶赴医院。

病房内，舒雅南靠在床上跟苏娜商量道：“这样躺在医院是不是太浪费时间了？整整一个月啊。其实我只要注意点这只脚不要太使劲就行了，没必要这么劳民伤财地住在医院里。”

“你就别瞎折腾了。在医院接受最好的调理，好得也快。出院了你就得马不停蹄地录制新专辑，《传奇》也该继续拍摄了，到时候有你忙的。你就趁现在好好歇歇，把身体调整到最佳状态。”

《传奇》……舒雅南想到那部戏，心头一跳。《传奇》开拍，便意味着她又要跟凌岩日夜面对面，而且有大量谈情说爱的绮丽镜头。以两人现在的情况，真是分外尴尬。

舒雅南的电话响起来，习惯性地就要拒接时，看到来电显示是她妈，立马接起来了。

“丫丫啊，你怎么又开始演出了？”

舒雅南笑道：“多赚点钱孝敬您老人家不好吗？”

“咱家又不缺钱。你都三十岁的人了，折腾个什么劲儿啊，在家相夫教子多好。阿岩他怎么说？他同意你复出吗？你们俩都不小了，什么时候结婚啊，我日盼夜盼就等着抱孙子呢。”

舒雅南一直没有告诉她妈，她和凌岩分手的事情。六年了，如今她年届三十，只怕这个分手的结果，她妈比她更承受不住。所以，在没有交新男友之前，她不打算告诉妈妈。

舒雅南笑着说：“您都知道我复出了，没看到新闻上写着，他全力支持我的一切决定吗？”

“那就好。可现在对你们来说，结婚生孩子才是头等大事。就算忙事业，可以先把证领了啊。”

舒雅南呵呵笑着，转了话题：“妈，我有件事要问你。我们以前跟宫家有过往来吗？我认识宫家少爷吗？”

手机那头寂静了片刻，随即传来如炮连珠的声音：“你这丫头每天都在想些什么呢？宫家那种豪门大户能跟我们有什么往来啊？你怎么可能认识宫家少爷！”

“可是，妈……你怎么知道我说的是哪个宫家？”

那边又沉默了片刻，才说道：“不是宫志诚吗？那个宫家呀，你妈年轻的时候就不得了了，名动全城的豪门巨富，我怎么会不知道？你为什么要问宫家？难道有豪门大少追求你？你这丫头可别犯傻啊，那些人都是贪图一时新鲜，跟你玩玩。你可不要动什么歪心思，跟阿岩好好过日子……”

舒雅南结束通话，苏娜端了份水果拼盘进来，“啧啧”叹道：“也真是不容易，分个手还不敢让家里人知道。”

舒雅南苦笑：“省得他们操心啊。”

“跟凌岩分手，跟宫总恋爱，多么高大上，直接提了无数个档次，有什么不好说的？”

“你别胡说八道了。”舒雅南当即斥责，“我和宫总不是你想的那样！”

“呵！”苏娜翻了个大白眼。

“不是什么样？”男人的声音忽然插入。

舒雅南正往口里送的草莓，一不小心咽了下去。

苏娜立即站起身，恭敬地叫道：“宫总。”

宫垣神情淡然地点头：“你先出去。”

苏娜关门前冲舒雅南做了个幸灾乐祸的鬼脸。你就装吧你，看看，宫总兴师问罪来了！

病房内，只有舒雅南与宫垣两人。

舒雅南有些拘谨地叫了声：“宫总，您好。”

“你可以直接叫我名字。”宫垣站在床前，微微挑眉，“而且，你叫得很顺口，不是吗？”

舒雅南略显尴尬，解释道：“当时情况特殊……我内心对宫总没有任何不尊敬。”

“舒雅南，你在怕什么？”

“啊？”舒雅南被他问得一头雾水。

“为什么急着跟我拉开距离，撇清关系？”宫垣逼近她的双眼，盯着她问。

舒雅南很不自在地舔了舔唇，说道：“宫总说笑了，除了上下级，我们本来就没什么别的关系。”

宫垣伸手揽过舒雅南的腰，在她还没反应过来时吻上了她的唇。

“唔……”舒雅南回过神，想要推开他，他却扣住她的后脑勺，加深了这个吻。

他将她压在床上，在她口中用力搜刮，没有丝毫要停下来的意思。舒雅南因为腿伤，不敢太过挣扎。他嘴唇的温度很高，就像一团火般灼热，烧得她浑身发烫……

一个灼热又漫长的吻，舒雅南几近窒息，大口呼吸得之不易的新鲜空气。宫垣嘴角微扬：“现在，我们只是上下级的关系吗？”

“宫垣！你别太过分了！”舒雅南哑着喉咙控诉。

宫垣吻去她眼角的泪花，说道：“舒雅南，跟我在一起。”

“不！”她毫不犹豫地拒绝，“你想要潜规则，会有大批女星蜂拥而至。但是我没兴趣，请你以后放尊重点。”

宫垣抓起她的手，放在自己的心口处。舒雅南的心微微颤抖，在她掌心触摸的地方，可以明显地感觉到他的心脏在极有力地跳动。

“你是我唯一吻过的女人。你是第一个让我心跳加速的女人。你也是第一个……能够把我从黑暗中叫醒的人。舒雅南，对我来说，你是唯一的，不可替代的人。”

男人那双眼睛里，有她以前从未看到过的专注和柔情……

这双眼睛，影影绰绰地，浮现出另一个人的感觉……

他总是这么温柔地看着她……

舒雅南心烦意乱地道：“我叫醒你，只是不想害了你，请你不要误会！”

宫垣看着她抗拒的表情，一颗心在逐渐下沉。

“为什么叫醒我？我和轻音，为什么选择我？”

舒雅南在他的目光注视下，快要喘不过气来。这是怎样的一种眼神，她很难形容，既凛冽逼人，又深邃专注，似能摧毁一切，又带着深深的渴望。

她能感觉到，这个男人既是强大的又是脆弱的……

她移开目光，低声说：“因为他失控了，我担心他做出不可挽回的事情。我只有拼命叫醒你，才能阻止他。”

“那你为什么担心他对我做出不利的事？他很喜欢你，不是吗？如果他将我取而代之，可以用我的身份，给你无尽宠爱。你为什么要在意我有什么后果？”宫垣俯视着她，“你的歌声很悲伤，是因为轻音吗？既然他的离去让你难受，为什么还要选择我？”

“宫总，你到底想逼问什么？你想要我说，因为我喜欢你，所以担心你在意你，不惜选择伤害轻音？”

宫垣沉默不语。

“很抱歉，事实并不是这样。轻音多次救我于危难之中，在我最绝望最害怕的时候，是他把我拥入怀中，告诉我不用怕……这样一个将我视若珍宝的人，我却把他逼走了，你知道我有多难过吗？”

宫垣眼底一片晦暗，沉声道：“我对你们的事不感兴趣！我只知道，在那一刻，你选择了我。”

舒雅南深吸一口气，哑声道：“你的人生处于无止境的人格搏斗中，已经很痛苦了，我不想做一个加害者。如果我跟他在一起是踩踏在你死去的灵魂上，即使他给我万千宠爱，我也不会原谅自己。”

宫垣起身，冷笑道：“真伟大啊，我是不是该感动得掉眼泪？你伟大的同情心，帮我解决了一个敌人。不过，轻音真是可怜，他的满腔爱意，还是不抵你对我的同情。”

他俯身，直直地看着她的眼：“但是，你听着，我宫垣从来不需要同情。你以为我怕了他？如果我会轻易被人格压制，我就活不到现在。我可以带着他们，一起下到地狱去。同时杀掉那么多人，想想很痛快，不是吗？”

“你……不要乱来！”舒雅南被他冷静又尖锐的眼神吓到了。

宫垣冷笑道：“收起你泛滥的同情心。我不会输，永远不会。”

舒雅南在医院养病期间，凌岩来看过她几次。两人在病房内相对无言。

他坐在床边默默地为她削水果。她靠在床头看剧本。苏娜给了三个电视剧本让她挑，作为电影《传奇》之后的接档作品。

下午的暖阳照入室内，为病房添了几分温暖。凌岩削着水果，看着沐浴在夕阳余晖中静静看剧本的舒雅南，心中温暖又酸涩。

这场景多么熟悉，当初他拍摄武戏出道，常有些磕磕碰碰，是医院的常客。每一次都是她陪在他身边。他随时随地都在聚精会神地看剧本，而她在身旁忙前忙后。也正因为有她在，他才得以两耳不闻窗外事，一心拼搏。

在他刚进病房时，舒雅南不冷不热地说："你现在对我倒是挺热心。"

他无奈地苦笑："雅雅，不管你怎么看我，我对你的关心不会变。即使不能携手走下去，你也是我珍视的亲人。"

舒雅南沉默片刻后，说："上次宫垣的事，不好意思。他是豪门大少，脾气大了些。"

"雅雅，你以为还能瞒住我吗？"凌岩抬起头盯着她，"宫垣他……根本就不是正常人吧？"

舒雅南脸色一变，低声喝斥："你不要乱说！"

凌岩扯起嘴角，冷笑道："我有没有乱说，你心里清楚。不过这只是我自己的推测，我还没有去查证。"

"凌岩，这些事与你无关，你不要管。宫垣不是任人拿捏的主，你去调查他，被他知道了没有好果子吃。"

凌岩反问："既然你知道他不好惹，为什么还要跟他纠缠？"

病房门被推开，苏娜走入，说："阿岩啊，我们雅雅该休息了。"

凌岩识趣地离去后，舒雅南哂笑：“你不是一直热衷拿我跟凌岩炒绯闻吗？现在倒跟我同仇敌忾了？”

“非也非也。那时候是工作需要，而且你们俩炒炒，没准能刺激另外一个人呢。”苏娜贼兮兮一笑，坐在床头继续说道，“现在你跟宫总已经尘埃落定，我当然要为你扫清障碍。”

“我没……”

“好了好了，”苏娜打断她，显然不想再听她苍白地辩解，她将手里的一沓资料递给舒雅南，说道，“喏，这是找专业人士查的，应该不会有错。”

舒雅南伸手接过。

苏娜好奇地问：“你为什么要调查自己母亲的情况？”

“我十二岁时脑部受过重创，在那之前的事情，都是些若有似无的影像，就连我为什么受伤都记不太清楚。”舒雅南说着伸过脑袋，撩开长发。在后脑靠下部分，苏娜看到了一条蜿蜒的疤痕。蜈蚣般的疤痕盘旋在黑发中，细细看来，仍有种触目惊心的感觉。

苏娜心里一惊，后怕地说：“脑门上留下这么深的伤口，你还好好的，也是万幸了。”

舒雅南翻阅着手中的资料。那次跟母亲的通话，让她心中疑窦丛生。

她太了解她妈了，她从她的语气和语速就能判断出她当时撒谎了。提到宫家时，她明显那么紧张。即使她拼命掩饰，也没法不让她察觉。

舒雅南的手在某一页顿住。

二十五岁离异后，带着十岁的女儿，进入宫家做帮佣。两年后，与宫家解除雇佣关系。这份资料很有意思，其他时间段具体做了什么，甚至发生了什么比较重要的事情，都记载得清清楚楚，唯有在宫家的两年，只是一笔带过……

舒雅南合上本子，心绪起伏不止。至少，她现在知道了，她的确跟宫垣有过瓜葛。

圆圆……圆圆不要怕哦，我在这里……

雅雅，你会一直陪着我吗……

只要圆圆在，我不会走……

我们拉钩钩……

好啊，拉钩……

大脑猛地一阵恍惚，舒雅南吃痛地扶住额头。

圆圆……这个在她脑海中时有闪回的小男孩，难道是宫垣吗……

舒雅南闭上双眼，平复混乱的思绪。

她需要查下去吗？她要知道那两年究竟发生了什么吗？而那些事情会跟宫垣的人格分裂有关吗？

那个小男孩的影像虽然很模糊，但他给她的感觉是那么怯弱……他怎么会去杀人……到底是怎么回事？当年究竟发生了什么？

舒雅南猛地抱住脑袋。头痛……每当她过度用脑和思考时，脑袋就有一阵阵被掰开般的痛楚。这都是曾经的重创留下的后遗症。

“雅雅，你怎么了？”苏娜被她痛苦的模样吓了一跳，赶忙叫来医护人员。

一周后，舒雅南如期出院。出院那天，有几家特约媒体前来采访和跟拍。虽然舒雅南已经能下地行走，苏娜心里还是担心，特别安排了一个助理搀扶她。

出院后，舒雅南马不停蹄地投入工作中，抓紧时间录制唱片拍摄

MV。她要趁着《天籁之音》获奖的热潮，推出复出后的首张个人音乐专辑。这也是她第一次发行个人唱片，心里的紧张和重视不言而喻。

这天中午跟苏娜一起吃饭时，苏娜嘀咕着："奇怪了，《传奇》剧组怎么没动静？"

舒雅南随口道："可能再次启动拍摄，需要调用的资源太多，还在筹备中吧。"

次日，舒雅南就知道了，事情没有那么简单。

凌岩的经纪人给她打电话说凌岩被寰亚封杀了。不仅如此，寰亚联合几大娱乐巨头齐齐封杀凌岩。就连凌岩的东家天心娱乐都扛不住压力，将他冷藏。之前接洽的所有工作，都停摆，《传奇》也停滞。

末了，凌岩的经纪人说："Anya，阿岩不要我找你，这是我自己的决定。因为这件事跟寰亚少东宫垣有关，我知道你们关系不一般。而且，阿岩是为了你得罪宫垣的……"

挂断电话后，舒雅南立马翻通信录，找出陈秘书的电话。

"陈秘书，你好。"

那边是温文有礼的回应："舒小姐，你好。"

"请问宫总现在忙吗？我想见他，可以预约个时间吗？"

陈秘书瞧了一眼坐在办公桌前的宫垣，原本正在签字的他，笔尖顿住了。他手指紧握笔端，骨节发青。

陈秘书回道："宫总就在办公室，目前没有其他安排。需要我安排车去接你吗？"

"不用，我马上过去。"

陈秘书放下电话，对宫垣说："舒小姐想见您。"

"没空。"宫垣冷冷地说道。

"她已经在赶来的路上。那我再打个电话过去，让她折返。"

宫垣甩下笔，满脸愠怒道：“你什么时候学会自作主张了？”他扬起桌上的一沓文件，说道，“今天有五个会要开，我没空理会那个女人。”

陈秘书点头：“我这就去发通知，会议改期。”

宫垣看着陈秘书的背影，似要大声呵斥，在他拉开门时，开口道：“人来了带到顶楼。”

陈秘书微笑应声，离去。

他不是自作主张，只是擅于察言观色。

寰亚大厦顶层，这是宫垣的私人休息处，也是绝对的禁区。

陈秘书：“舒小姐稍待片刻，宫总很快上来。”

“嗯，没关系。”舒雅南坐在沙发上，随手翻阅茶几上的一本杂志。

办公室内，宫垣来回踱步。陈秘书推门而入，他立马问：“她已经上去了？”

陈秘书点头：“正在等您。”

宫垣坐回到办公桌前，说道：“那就让她等着。我正忙，过半个小时再说。”

半个小时后，陈秘书看着坐在桌前，手里拿着文件，但翻来覆去都是那几页，签字的笔迟迟没有落下，显然思绪游离的宫垣，好心地提醒道：“半个小时了，是不是可以上去了？”

宫垣当即合上文件，说：“走。”

宫垣来到休息室时，看到舒雅南斜靠在沙发上，双目微合，进入浅眠中。这个环境太舒适了，而她连日来高强度的工作，使得身体很疲劳。无聊的等待中，她忍不住就打起了瞌睡。

宫垣放缓脚步，轻轻地走到她身边坐下。

静谧的空间内，只有他们两人。他轻轻地抓住她的手，慢慢地俯身，低下头，额头贴上她的额头。她的呼吸喷在他脸上，他闭上眼，静静地感受，如获至宝，又小心翼翼。

舒雅南醒来时发现自己睡在沙发上，身上还盖了一条毯子。宫垣坐在对面的沙发上。

"不好意思。"舒雅南赶忙坐起身。

宫垣下巴微抬，倨傲的目光冷冷地看她，一言不发。

舒雅南也不绕弯子，开门见山地说道："宫总，是你对凌岩下的封杀令？"

"是。"宫垣不轻不重地应了一声，眼神黯淡，"你来找我就是为了他？"

"我们之间的事不要牵扯凌岩。我希望你能解除对他的封杀。"舒雅南诚恳地道。

宫垣扯唇冷笑："这不是我跟你的事，是我跟他之间的事。敢威胁我的人，都不会有好下场。这只是一个开始。你让他不要急，慢慢体会。"

"宫总，你这是仗势欺人！"舒雅南蓦地站起身，表情激动。

宫垣也站起身，说道："那你为了一个背叛你的男人到我这里来，是犯傻吗？"

舒雅南深吸一口气，说："宫总，如果你执意要针对凌岩，那我只能采用自己的方式。"

"哦？"宫垣一脸讥讽地看着她说道，"我拭目以待。"

舒雅南指着一侧的全景玻璃窗说："你信不信，只要我从这里跳下去，轻音就会出现？"

宫垣双眼眯起，沉声道："你这是威胁我？"

舒雅南毫无畏惧地看着他："你逼我的。"

宫垣眼底怒火升腾，猛地拽住舒雅南，拖到窗边。

他打开窗户，按着舒雅南的双肩，将她的身体往后推去，面目狰狞地说："想跳？我来帮你。"

舒雅南半个身子伸在窗外，举目是游移的白云和四下林立的商务大厦。一阵强风刮过，长发在风中乱舞，她脸色惨白，心跳忽有忽无，整个人被极致的恐惧攫住了。

此时，只要宫垣轻轻往下一推，她就将死无葬身之地……

"临近死亡的滋味怎么样？"宫垣将舒雅南发白的脸庞和慌乱的眼神收入眼底，冷笑道。他表情冷酷到不带一丝温度，犹如象征死亡的撒旦。

舒雅南瞪着他，紧咬双唇，一言不发。

"不是想让轻音出现吗？向他求救啊！"

"你这个疯子！放开我！"舒雅南再也忍不住了。

宫垣猛地拉回舒雅南。

舒雅南扶着一旁的玻璃，努力稳住自己发软的双腿和想要呕吐的冲动。

宫垣一只手揽住她的腰，一只手扣住她的后颈，将她拉近，搂在怀里。他盯着她的双眼说："舒雅南，你记住，我最讨厌被人威胁。"

"我没想威胁你，我只是别无他法。面对你，我有商量的余地和话语权吗？"

舒雅南突然间明白了，为什么宫垣在多重人格的症状下，仍能坐稳寰亚继承人的位置。这个男人够狠，对别人狠，对自己更狠。

他宁可承受最坏的后果，也绝不退让分毫。

"既然知道，就不要自取其辱。"

"可是我不能这么放弃。凌岩一路走来，付出了多少努力，没有人比我更清楚。我可以保证，他不会做出任何对你不利的事情，请您大人有大量，解除对他的封杀。您的一句话，会让一个拼搏多年的艺人的所有心血付诸东流……"

而且，她很明白，凌岩是真的热爱演戏。断了他的演艺事业，无异于扼杀了他的生命。

"为什么要为一个背叛你的男人求情？"宫垣瞪着舒雅南，眼里带着讥诮，"同情心泛滥还是余情未了？"

"既不是因为同情心，也不是因为余情未了。他是因为我才会惹到你，事情由我而起，我无法袖手旁观。虽然他背叛过我，但分手了，彼此就已两清。我不想因为这件事，让自己欠了他的。"

宫垣盯着舒雅南看了良久，说："要我放过凌岩，可以。但你得答应我一个条件。"

舒雅南终于松了一口气，说道："您请讲。"

宫垣低下头，将她往怀里搂紧，俯在她耳边低声说："跟我在一起。从此，其他人格就是你的敌人。"舒雅南身体一僵，他的手掌在她后背缓缓游移，声音轻柔得不可思议，"我会好好对你。轻音能给你的，我都能。他不能的，我也能。"

"不！"舒雅南猛地推开宫垣，后退了一步，坚定地摇头，"不。"

宫垣眼神沉下去，面容冷若冰霜："如果你不选择我，就必须跟其他人格断绝往来。就算他们去找你，也要置之不理。不能跟他们接触，更不能有任何发展。"

舒雅南攥紧了双拳，说："好。"

宫垣眼里闪过一抹痛苦之色："舒雅南，跟我在一起有这么难？"

舒雅南转开脸不看他："高攀不起。"她更不想与他们为敌。

"谎言！"宫垣冷声斥道。

舒雅南沉默。

"你走吧。"宫垣背过身不看她，说道，"记住，以后再也不要出现在我眼前。"

舒雅南看着他的背影，在心里对自己说，那就这样吧……

即使过去有交集，如今的一切也非她所能把握。

真相到底如何，与她无关。他的世界，是她所要远离的。

舒雅南转身离去。走到门边时，一双手臂突如其来地将她圈住。她被扣在一个结实的胸膛上，男性气息缭绕周身。她的心脏像是被什么捏住了，微微发颤。

宫垣撩开她耳边的长发，贴着她的脸颊，低声说："我以为有些事会改变……终究还是没有。你给过我希望，又给了我绝望。舒雅南，千万不要再出现。不然，我会恨你。"

舒雅南颔首轻语："我懂了。"

"不。你不懂。因为你不懂，所以我不会强求。"宫垣放手，决绝地转身，"你走吧。"

永远走出他的生命，不要再来搅动他的世界。

舒雅南迈步离去。脚下的每一步，都是那么艰难又沉重。她转头看了一眼宫垣，他背影僵直，独自伫立在窗前，清冷得仿佛遗世独立。

有那么一瞬间，她甚至有种将他抱入怀里的冲动。

但最终，她只是转身离去。

一周后，舒雅南接到了凌岩的电话。

"你为我去找宫垣了？"

舒雅南说："凌岩，不要招惹宫垣。他那样的人你惹不起。"

"你是不是跟他达成什么交易了？"凌岩着急地道，"你是不是出卖自己了？"

"宫垣不是那种人，他也不屑于那么做。而且，我跟他以后不会再有任何交集。"

"雅雅，你还是爱我的吧？"那边凌岩轻声道，"就像我还爱着你一样……"

"爱？你在跟我开玩笑吗？"舒雅南反问，"凌岩，我恨过你，我承认当初想要重新站在这个舞台上，是想证明给你们看，我到底是不是跟你们一个世界的人。但现在不一样了。如今我是为了我自己。我要证明给自己看，证明给那些爱我的粉丝看，证明给所有支持我的人看。如今我对事业的追求，我人生的意义和规划，都已经跟你没有任何关系了。我对你，无爱亦无恨。"

舒雅南深吸一口气，继续道："但是，你代表着我过去六年的青春和回忆。那段时光我无法抹杀，它注定是我生命的一部分。我还是希望你好好的，我也会好好的。相忘于江湖，各自安好吧。"

舒雅南挂掉电话，凌岩听着那端传来的忙音，心里的钝痛在缓缓撕扯着他的神经。

曾经以为会一辈子陪在自己的身边的女人，说走就走了，最终困在原地的变成了他……

如果一切能重来，如果时光可以倒流……

为什么人总是在失去后，才追悔莫及？

雯靖几次通过圈内的人向舒雅南发出邀约，舒雅南都置之不理。

她对凌岩感情复杂，可以化解爱和恨，不代表她要笑着面对当初恶心她、打压她的“小三”。

谁料，雯靖找上门了。这天舒雅南在给知名杂志拍摄大片，雯靖得到消息赶来，一直守在一旁等她。舒雅南结束拍摄和采访，去化妆间卸妆，雯靖跟了进去。

雯靖“扑通”一声在她椅子旁跪下，哭着道：“南姐，求求你大人有大量，不要跟我计较……”

舒雅南斜她一眼，不懂她在搞什么。但她脸上不动声色，也没开口。

“南姐，当初是我鬼迷心窍……你就当我年轻不懂事，原谅我好不好……”雯靖上前一步，抓着舒雅南的衣摆，涕泪横流。

化妆师在一旁尴尬得不知道该不该回避，以眼神询问舒雅南。

舒雅南语气淡淡地道：“我跟你没有牵扯，谈不上原谅不原谅的话。凌岩选择你，是他的事。”

“我错了……我真的知道错了……你让我做什么都行，求你原谅我……”雯靖只差跪下来磕头了，声泪俱下地说道，“我跟凌岩已经分手了，我们没瓜葛了……你原谅我……”

舒雅南不想再跟她多纠缠，起身离去。

雯靖立马追上，她刚碰到舒雅南的手，便被舒雅南甩开了。雯靖堵在门前，拦住舒雅南的去路，继续哭诉：“南姐，你就不能原谅我这次吗……我年幼无知，我知道错了……求你给我一条生路……”她一边哭一边说，眼泪花了妆，哭得瑟瑟发抖。

舒雅南心里却没有丝毫同情，眉目清冷地道：“第一，我不会用任何非正当手段对付你。第二，你是对是错，都跟我没有关系。就算没有你，也会有另一个女人纠缠凌岩，只要他的心花了，是谁没有差别。第三，除了工作以外，请你不要出现在我眼前。谢谢。”

舒雅南一个眼神示意，助理迅速上前拉开雯靖，舒雅南打开门快速离去。

雯靖还想说什么，看到外面聚集的记者，立马闭上了嘴。

助理记得当初在剧组里雯靖是怎么得意扬扬地打压舒雅南，甚至借着拍戏连甩舒雅南三记耳光，于是出门时冷哼了一声，训斥道："我们南姐是脾气好，不跟疯狗计较，换作我，早就几巴掌招呼上了。还有脸来求人呢……现在看到我们南姐人气起来了有靠山了就怕了，早干吗去了，呵呵……"

"你说什么……"雯靖气得脸色发白。

"说你呢！不知羞耻，当人小三！你还有理了啊！南姐凭什么原谅你？！别再觍着个脸靠近南姐！"助理用力推了一把雯靖，大步离去。

雯靖撞到墙上，怒意上涌，却在要追上去时顿住了脚步。

她能怎么办，连凌岩都被封杀了，她有什么能耐跟舒雅南斗……

越来越多的绝望涌上心头，雯靖从墙壁滑下，抱住自己埋头啜泣。

外人不知道怎么回事，却见这位正当红的小花旦哭得无法自抑。

• • •

Chapter 15 羁绊

月光下的男人，俊美得不可思议，

染血的额角彰显着不羁。

可他那青涩的稚嫩的吻，

温柔到令人心碎。

拉米诺亚大酒店，顶楼精致奢华的观景餐厅内。

身姿挺拔的宫垣穿着高级手工定制西装，黑色短发梳得一丝不乱，随着侍者的引导，昂首挺胸步入包房。

宫垣的父亲宫志诚看到他进来，皱着眉头道：“这么多长辈都在等你一个人。”

宫垣对桌上的众人点头微笑：“不好意思，正好有个重要会议，来晚了。”

“没关系，我们也才来没多久……”

“宫少独挑大梁，必然工作繁忙……”

“宫少是圈子里小一辈的代表啊……”

“以后寰亚到了他手上，想必又是一番新景象……”

桌上的几位长者相继吹捧着。

宫志诚为他引荐几位长辈后，将他带到在座的一位年轻女子跟前，说道：“这是程叔叔的千金景心。”

程景心的父亲笑着道：“你们俩是同年，不过我这丫头没什么上进心，今年才从国外玩了几年回来。哪像你，已经在寰亚独当一面，做出的业绩有目共睹。”

程景心漂亮的双眼，对她老爸俏皮地瞪起：“我才不要被家族企业束缚，我有自己的人生。”说完，她看向宫垣，大大方方地一笑，“虽然我做不到你这样，但不影响我欣赏你。”

宫垣回以微笑：“我更羡慕你的自由自在。”

与众人分别打过招呼后，宫垣看了眼桌上那几瓶价值不菲的红酒，招呼服务员拿来了一瓶茅台和三个白酒杯。倒满三杯后，他端起酒杯：“我来迟了，先自罚三杯。”他一口一杯，三口喝完三杯白酒。

众人只觉得出乎意料，随即纷纷应和。

饭局以热络的氛围开始，宫垣与周遭的人谈笑风生。他又端起酒杯，挨个跟人碰杯。他沿着桌子走一圈，唯独在经过程景心时绕过了她。程景心端着手中的红酒杯，只等他走来，他却淡淡一笑，走开了。程景心的目光跟随着他，似好奇又似觉得有趣，愈加闪亮。

宫垣在酒桌上周旋一番后，离席去洗手间。

洗手间内，宫志诚跟来，不悦地道："你不要搞错了方向。今晚是跟几位叔叔阿姨认识，尤其是恒鑫集团的千金程景心。这不是商务应酬，谁让你玩命喝酒了！"

"我高兴。"宫垣伏在盥洗台上，白皙的脸庞泛着红晕。

"程家对你很满意，你要好好把握。"

"把握好做他们的乘龙快婿？"宫垣直起身，为自己点燃一支烟，抽上一口，讥讽地笑着，"那你有没有告诉程家我是个怪物？还是打算先把这些隐藏起来，把人骗到手了再说？"

宫志诚脸色很不好看，说道："程家持有寰亚 8% 的股份，这些股份将作为程景心的生日礼物送给她。一旦你跟程景心联姻，不仅有了恒鑫做后盾，对寰亚更有了绝对掌控权。"

"把不爱的女人娶到手，江山在握，然后出去花天酒地，寻找爱情？"宫垣双眼微眯，盯着他爸，"对啊，你以前就是这么做的。这是要我复制你的路，然后再生下一个怪物？"

宫志诚一记耳光扇来，厉声呵斥："宫垣，你喝多了！你是个有分寸的人，不要让我失望！"

宫垣趴在盥洗台上，胸膛剧烈起伏。

宫志诚指着镜子里的男人说道："你应该庆幸你生在宫家。离开了宫家，你就是在这世上毫无立足之地的怪物！彻头彻尾的怪物！"

宫垣缓缓地抬起头，眼底一道暗光闪过，那双浓黑如墨的眼睛，燃烧着诡异的火焰。他转头看向宫志诚，死死地盯着宫志诚，手指骨捏得咯吱作响。

宫志诚脸色一变，往后退了两步：“逆子，你想干什么？”宫志诚被他突然间带有恨意的眼神骇住了。

他猛地揪住宫志诚的衣襟，扬起拳头，作势就要揍去。

“你是谁？你不是宫垣！”宫志诚抬手护住脑袋。

Anger死死地盯着宫志诚，紧握的拳头在半空发颤，眼神剧烈变化。他将宫志诚用力推开，宫志诚一个踉跄，撞到墙壁上。Anger跑了出去。

宫志诚追出来，想叫保安拦住他，话没喊出口又闭嘴了。

宫垣代表着宫家，代表着寰亚，怎么能在公共场合出丑？！宫志诚气得双拳紧攥，给陈秘书打电话，命令他迅速抓人。

家门不幸！宫志诚脸色发白，极力克制内心涌动的怒火。

平静下来之后，他泰然自若地进了包间，为宫垣的突然离去打圆场。

大街上，车水马龙，川流不息。

Anger冲出酒店后，在街上拼命朝前跑。他不停地跑着，眼神混乱，喘息急促，胸膛剧烈起伏，一路上撞到不少行人，却没有停下步伐。

他恨这世界，他恨这一切，可是他无处可去，无处可逃……

他甚至连发泄的叫声都喊不出来……

路过一家商场的橱窗前，Anger突然顿住脚步，倒回。

橱窗里的另一端，身着礼服的舒雅南，在璀璨的灯光下亭亭玉立。

她笑容满面，正在一块展板上签字。今天是这家高端奢侈品牌区域连锁专卖店开业的日子。舒雅南作为该品牌新一季的代言明星，受邀前来剪彩及试装。周围簇拥的粉丝热烈欢呼喊着她的名字。《天籁之音》比赛之后，舒雅南的人气不断往上冲，已有复苏之势。

Anger 看到舒雅南的瞬间，痛苦又混乱的眼神中闪过一抹光亮，救赎般的光亮。

他冲进商场里，拨开围观的人群，一路往里冲。

到了最前排，几个记者手中的器材被他撞掉了，他不管不顾，动作粗鲁。人群里起了骚动。舒雅南随之看去，一脸惊愕："宫垣……"

两三个保安围上来，他一拳解决一个，突破防护圈，冲到舒雅南跟前，拉着她就往外跑。

"保安！保安！"其他工作人员急得大叫。

一旁的苏娜马上说："不用拦，不用拦！"大批闻讯而来的保安被她挡回去了。

"Anya——"

"Anya 被人拉跑了——"

保安不追，不代表粉丝不追。围观的粉丝都动起来了。

苏娜这下慌了，喊道："那是我们老板，快调集保安保护他们！"

舒雅南被 Anger 拉着跑，踉踉跄跄，追上来的粉丝被 Anger 蛮横地推开。可是有越来越多的路人粉闻声而动，小范围的围观变成了大范围的追逐。舒雅南踢掉高跟鞋，拉着 Anger 一路狂奔。幸好她一直在坚持锻炼，爆发力不弱。

在保安的掩护下，舒雅南带着宫垣进了商场的办公区。

她喘着气，问道："你干什么啊？"

宫垣一声不吭。

外面包围的粉丝热情不减。无奈，舒雅南换了一身商场工作人员的制服，并找了个女导购换下自己原先的礼服裙。

作为替身的导购穿着舒雅南的衣服，戴上大墨镜和口罩，在保安的掩护下离去，成功引发了围观粉丝的追逐。

舒雅南趁机带着宫垣从后门逃跑。虽然换上平底鞋，比高跟鞋好走多了，但宫垣的步子又急又快，还是把她拉得踉踉跄跄。

离开商场后，舒雅南上气不接下气地说："好了，不用跑了……"

Anger 脚步顿了一下，将她拦腰抱起。

舒雅南这才仔仔细细端详宫垣的脸。眼前这个双唇紧抿，眼底火焰跳跃，一脸桀骜不驯的人，与几次出现的 Anger 感觉重合，她试探性地叫道："Anger？"

他没作声。

路边，一个人坐在摩托车上，正要启动。Anger 抱着舒雅南快步上前，他放下她后，将那人拉下了车。

"喂，你又来……"这下舒雅南百分百地确定了，这个人一定是 Anger。

除了他，还有谁会抢车啊？！

"你小子眼瞎啊，敢抢老子的车！"被抢车的那个彪形大汉怒了。

舒雅南马上拦在他跟前，赔笑道："别误会，他就是热爱摩托。你这车型实在太有范儿了，他忍不住想试一试！"舒雅南道，"这样吧，这车多少钱，我们买了……"

那人认出舒雅南，眼前一亮，惊叫："舒雅南！"

他愤怒的目光顿时成了花痴的星星眼，声音也变得柔和了："我老喜欢你了！你唱歌都能把我唱哭了！上次《天籁之音》的比赛，我就奔着你去现场看，还吆喝一帮兄弟给你投票……"他激动地撩起自己的衣衫，"今晚我是走了什么狗屎运……女神，快给我签个名！"

舒雅南甜甜地微笑："谢谢你的支持。可是……"她四下里张望，面露难色，"我没带笔。"她就这么被 Anger 一路拖出来，连手包都没拿。

汉子急了："我也没笔，你等等，要不我现在去买……"

他还没转身，Anger将舒雅南一把拽上车。他立马拖住车尾，说道："你小子别跑！我还要女神签名！"

舒雅南坐稳，摩托车"嗖"的一声冲了出去，他一个踉跄，差点扑倒在地。

汉子站稳，正要骂人。舒雅南转过头，声音在半空传来："找我经纪公司联络，车钱和签名，都会给你。"

他呆立原地，一脸陶醉。

女神的长发在风中飞舞，好美啊！

摩托车在马路上风驰电掣般前行，舒雅南侧坐着，抱住Anger的腰。她突然想到自己跟宫垣的约定，她不能再接触他的任何人格了。

今晚，她要跟他道别，告诉他以后再也别来找她。

既然这是最后一次，索性开心开心吧！舒雅南这样想着，附在Anger耳边大声道："我们去喝夜啤酒吃烧烤，怎么样？"

Anger听从舒雅南的指挥，骑着车子拐过一个个巷道，最后停在一个露天大排档外。舒雅南站在他身后，长发拨到两侧挡住脸。她虽然不是人尽皆知的大明星，但也有一定的知名度，要尽量低调。

两人找了角落里的一张桌子坐下。舒雅南背对着街道，面朝里坐下，Anger坐在她身旁。

老板端了一大扎黑啤上来。舒雅南为两人分别倒了一杯。

此时，她坐在他身侧，看到他脸色发红，隐隐有醉态，问："你之前喝酒了？"

Anger不吭声，脸色紧绷，像在压抑着什么。

“心情不好？”刚说完，舒雅南耸肩轻笑，“也是，就没见你心情好过。不过，你今天怎么会一个人出现？跟你形影不离的陈秘书呢？”说着，她还四下里看了看，猜测陈秘书带着一批保镖躲到哪个角落了。

Anger依然沉默。

老板陆续端上他们点的东西。舒雅南把他们这家店几道招牌菜全点了，又点了一堆烧烤。她拆开一次性筷子，将上面的碎屑磨掉，递给Anger，笑道：“心情不好时，吃东西最有疗效了。”

“这家的烧烤堪称一绝哦。以前上学时，拿了拍平面广告的钱，我就请朋友们来这条街上吃喝，好吃又不贵，这家的烤生蚝我最喜欢了。你看那条路，从那儿往上走个二十分钟，就是我们学校的一个后门……”舒雅南自顾自地说着，虽然身旁是个一言不发的人，她却感觉仿佛有人在跟他一唱一和。

“后来正式出道，我就跟夜宵绝缘了。为了魔鬼身材，我一直饿自己啊，几年没吃过一顿饱饭……直到退出娱乐圈，我充分满足自己的肚子，想吃什么就吃，不过代价有点大哦，断送了自己的感情。”舒雅南语气轻快，脸上不见丝毫忧伤，还冲他眨眼一笑，“这次重新出道，我没让自己挨饿了。靠饥饿减肥是不行的，虽然短期内有效，却会养成易胖体质，长远来看很不划算，越减越肥……”

他听着她的唠叨，虽然一直没开口说话，舒雅南却发现，他脸上隐抑的怒火和暴躁在渐渐消失，表情平静下来。

看到“吱吱”冒着热气的烧烤和海鲜上桌，舒雅南熟练地将一只油焖大虾去头剥壳，丢进Anger碗里：“很好吃哦。”

Anger没动。

舒雅南夹起虾仁，递到他嘴边：“大爷，记得吐尾巴。”

Anger 脸上浮出别扭的表情，又带着些新奇，张开嘴，咬了下去。

舒雅南撑着脑袋看他，低叹道："其实我挺想听你说话的，但你就是不肯说。以后你愿意说时，我也没机会听了。"

Anger 吃完，舒雅南又拿起一个生蚝，夹出里面的肉给他吃。这次他不磨蹭了，吃得很果断。舒雅南觉得他吃东西的样子特别有趣，有种跟食物较劲又分外新鲜好奇的感觉，脸上表情可生动了。

她再次给他夹东西："看你那没吃过东西的样儿……哎，你不会真没吃过东西吧？"

如果他每次出现的时间不长，而他又只顾着发飙打人，然后被陈秘书一针弄晕……好像是没机会吃东西。

"好过分哦，人格也有人权，也该享受美食呀。对了，以后不开心别打架，就去吃东西。刷着宫垣的黑卡，吃遍天下！"舒雅南拍拍他的肩膀，鼓励道，"争取把宫垣吃成个大胖子！"

想到气势凛冽、脸部轮廓立体而凌厉的宫垣胖出双下巴的模样，舒雅南忍不住笑起来。那样的宫垣，怕是凶起来也没有那么吓人了。

Anger 平静地横扫着桌上的食物，但他非得等着舒雅南投喂。她送到他嘴边，他就吃。她不夹，他就看着，怎么都不肯动手。于是，每当他把嘴里的东西吃完，接下来目光看到哪儿，舒雅南就心领神会地为他夹。

没一会儿，桌上的食物一扫而空。舒雅南不禁咋舌："你要是出来的时间久点，把宫垣变成大胖子指日可待啊。"

她又各多点了一份喜欢的烤鱼和油焖大虾，再各加一份生蚝和扇贝。

"为了增肥之路，加油！"

看 Anger 吃得满嘴流油的模样，舒雅南抽出纸巾给他擦了擦嘴角，心中没来由地唏嘘感叹：她如果是他，也不会开心，亲情友情爱情都没有，就连吃喝玩乐的乐趣也没有，活着多无趣。

“我帮你打开新世界大门了。以后不开心呢，就吃东西，吃到开心为止。”她帮她剥了一只虾送到他嘴边，他正要张口吃，她又拿回来，说道，“你先点头，答应我。”

Anger盯着他手里晶莹剔透的大虾仁，点了一下头。

舒雅南粲然一笑，把东西送到他嘴边。他张口咬下，又抓住她的手，将她指尖上的红油舔去。温软湿润的舌尖吮吸指尖时，一阵奇异的电流在体内窜过，舒雅南猛地收回手，表情很不自然地干咳了两声。

Anger再次抓起她的手，她紧张地叫道：“喂喂，你又干吗啊？”可他是抓着她的手，指向那盆虾。他看着她，眼神闪闪发亮。

“大爷，我叫你大爷。你是被伺候上瘾了吗？非得我给你剥啊？”舒雅南收回手，说道，“自己动手，丰衣足食。”

Anger坐在位子上，看看她，再看看虾，又看看她，再看看虾……他的眼神不停地游移，就是不自己动手去取。舒雅南败给他了，认命地伸出手为这位大爷服务。

吃掉虾仁，他照例抓住舒雅南的手舔了舔她的手指，而且这次比之前舔的时间长，仿佛她的指尖比虾仁更好吃。舒雅南浑身觉得不舒服，可看到他那副天然无害的模样，她又……

他吃得开心，她的表情却渐渐变得忧伤了。

她轻声说：“以后不要再找我了。下一次再见，我不会理你，不会陪你飙车，不会带你来吃东西……”

Anger表情凝滞，转头瞪着舒雅南，眼里满是疑惑。

舒雅南低下头说道：“抱歉。我以后不能再跟你们有任何往来，所以不要再来找我了。”

Anger豁然起身，他将舒雅南拉起来，盯着她，眼底火星毕现。他呼吸加剧，表情扭曲，像是很想说什么，又被人掐住喉咙说不出来。

就在这时，大排档外来了些混混。他们瞧着舒雅南的侧影，移不开眼。撩人的制服套裙，不足一握的小蛮腰，运动鞋上是一双修长白皙的美腿……

为首的那人一个眼神示意站起身，另外四五个人随即起身。几个人围到舒雅南身边，跟她搭讪："嗨，美女！"

Anger抄起桌上的酒瓶子，朝正将胳膊搭上舒雅南肩膀那人的脑门砸去。

那人猝不及防，前额被玻璃扎出血来。他一声暴喝："兄弟们，给我上！揍死这浑小子！"

五六个人将Anger包围，他与他们对峙，不要命的架势更像在发泄内心的怒火。只攻不守的打架方式，令他脸上很快挂了彩。

舒雅南在一旁干着急。眼看着一张板凳就要砸上他的脑袋，她猛冲上前，拨开混乱的人群，拉过Anger，肩膀顿时挨了一下砸。动手的男人一愣，喊道："女人走开！"

Anger见舒雅南被打，跟发狂了一般，不要命地攻击他们。就在双方扭打成一团时，警铃大作，由远及近飞驰而来。

"警察来了！……警察来了！"有人喊道。

警车在街边停下，几个警察走出来。那些混混显然不想跟警察撞上，嘴里啐道："哪个龟孙报的警！"他们骂骂咧咧地四下散开跑路。

"糟了！我也不能进警局！"舒雅南心神一凛，拉着Anger飞跑。她被警察带入警局，一旦被好事者发现，爆料出来，形象一落千丈，可不是闹着玩的。

她话音刚落，Anger 比她跑得还快，拉着她飞奔。

老板瞧着两边迅速跑掉的人，面对一片狼藉欲哭无泪："谁来赔偿我的损失啊！"

舒雅南边跑边回过头喊道："下次来付！"

跟 Anger 这个愤怒小青年待在一起，必然发生混乱，无止境的混乱。舒雅南被折腾得一个头两个大，但只是无奈，没有丝毫怨气。

Anger 再次背起舒雅南，两人在小巷子里穿梭了好一阵后，舒雅南缓了一口气，说："好了好了，不用跑了。警察叔叔们没过来。"

她从他背上下来，看到他嘴角渗出的血迹，拉起他的领带，为他拭去。他安静地站立着，瞳孔里倒映着她的身影，只有她，再无其他。

夜空中繁星闪烁，月光洒下来，幽静中透着浅淡的温柔。

舒雅南说："你能跟我说说话吗？以后我们不会再见面，我也听不到你说话了。"

Anger 表情骤变，刚刚得以平静的眼神再次风起云涌。他抓着她的双肩，眼里情绪汹涌起伏，似不解，似急迫，似紧张，又似惶恐，充斥了太多东西，以至于舒雅南都捉摸不透他到底想表达什么……

但是，当他紧紧地攥住她的肩膀时，他能感觉到他的双手在发抖。

她轻声问："你……在害怕吗？你怕什么？"

他张开嘴，似要说些什么，却只由喉咙里发出混浊的声音，没有清晰的吐词。舒雅南紧张地看着他："你想说什么？说呀……说出来，我听着。"

Anger 捧起她的脸庞，两人近在咫尺，她眨着眼睛："你……说呀。"

他们的眼睛离得如此近，彼此的瞳孔里都只有对方。Anger 突然用力亲上她的唇，舒雅南吃了一惊。他扣着她的后脑勺，嘴唇紧紧地贴着她的唇瓣。

他呼吸急促，双手抖颤，四片唇瓣良久相贴，但没有下一步动作，似乎只为汲取那柔软的温暖。

舒雅南瞪大眼，心一阵狂跳。

月光下的男人，俊美得不可思议，染血的额角彰显着不羁，可他那青涩的稚嫩的吻，又温柔到令人心碎。

舒雅南撇开脸，Anger将她紧紧地抱住，像是恨不得揉进自己身体里。

舒雅南轻声问道："你喜欢我？"

他点了一下头，抬起来，又重重地点下去。

她抬起头，看着他的双眼说道："那你告诉我，为什么喜欢我，好吗？"

他抽动着喉咙，似努力地想说话，可始终没有发出声音。

"你可以说话的，真的。试试看？"舒雅南轻声鼓励他，"喜欢就要说出来呀。只有说出来了，别人才知道你在想什么。"

他突然松开舒雅南，扼住了自己的喉咙，含混不清的声音犹如野兽的悲鸣。

他转过身，紧握的拳头狠狠地砸着墙壁，一下又一下。

舒雅南从身后将他抱住，柔声道："没关系，不能说就不要说，不用勉强自己。"

她不忍心再逼他了，原本以为让他开口说话，能让他把心中的痛苦发泄出来。但她发现，这个试图突破的过程会让他更痛苦。

她抱住他，轻轻地抚着他的后背，Anger在她怀里一点点地平静下来。

舒雅南说："走，我们去医院把你身上的伤处理一下。"

两人在小巷内并肩前行。他紧紧地攥着她的手，好像生怕稍微松开一点，她就会消失不见了。清幽的月光洒下，将他们的身影在地面拉出两道长长的影子。

“你只是看起来凶，其实比宫垣可爱多了。”舒雅南忽而扑哧一笑，说道，“不要忘了你的目标，一定要把宫垣吃成大胖子！”

Anger 表情别扭，一声不吭地紧紧攥着她的手。

还没到医院，Anger 突然剧烈呕吐，浑身起疹子。舒雅南吓得赶忙叫救护车，又跟陈秘书联系。

急诊室外，陈秘书和舒雅南一起等候着。

相比舒雅南的忐忑不安，陈秘书比较淡定，还反过来劝慰她：“宫总对海鲜过敏，不能吃。舒小姐不知情，不必过于自责。”

舒雅南怎么会不自责？她心里难受极了，本来是想让他开心点，结果把他送进了急诊室……

直到医生出来报了平安，舒雅南才松了一口气。

宫垣还在休息，舒雅南没有进去看他。她对陈秘书说：“我答应了宫总，不再出现在他眼前，不再跟他的人格发生任何瓜葛。他如果知道这件事，一定很不高兴。我希望你不要告诉他。”

陈秘书沉默片刻后，低声道：“少爷他真的很不容易……”

舒雅南微微愣怔，然后点了一下头。她知道他过得很难。可她没想到，陈秘书会突然跟她说出这样的话。

“他并不像表面看起来的那么冷酷，那只是他保护自己的方式。舒小姐，你对少爷而言是特别的。”陈秘书诚挚地看着她，“我希望你……不要放弃他。”

舒雅南咬着唇，静默半晌，开口道：“我跟他理念不同。他对其他人格怀有强烈的敌意，我说服不了他……宫总的自我意识太强，容不得他人背离他的想法。”

“那么，你对少爷的其他人格，怀着什么样的感情？”陈秘书问。

舒雅南心中思绪万千，不经意间湿了眼眶：“几次生死关头，是轻音救了我。没有他，我就葬身火场了……Anger 虽然性格狂躁，爱跟人动手，但他很纯粹，也很痛苦……西凡，是一个热情可爱的粉丝，一路带给我很多温暖和感动……对于他们每一个我都有感情，让我帮助宫垣消灭他们，对我来说真的很难，我做不到……”

她再也不想体会像上次那样，把轻音逼回黑暗的感觉。他眼里的绝望，他痛苦的控诉，无不刺痛她的心。

“舒小姐，他们都是少爷的人格。如果能够融合，那不是消灭，是形成统一的整体，一个真真正正健全的完整的宫垣。这无论是对那些人格还是对少爷，都是最好的结局。少爷太过偏执，不肯妥协，不愿去理解那些人格。但是你可以。你是迄今为止，唯一一个能跟Anger 相处的人。即使是少爷以前的主治医师也无法接近他，更别说得到他的信任。她曾经说过，Anger 很关键。可他为什么不说话，这里面隐藏着什么，我们都无法知晓……舒小姐，我恳请你，帮帮少爷。”

“他不会想要我的帮助。”舒雅南说。

陈秘书并不否认，说：“少爷自尊心极强，而且很敏感。但是，你可以表面逢迎他，实际上做自己想做的事情。”

舒雅南愣了一下：“你这是要我阳奉阴违？”

陈秘书，你真的不是在卖主吗？

陈秘书笑着说：“我相信，舒小姐心里想的实际做的都是为了少爷好。”

舒雅南赶忙道：“你别太抬举我了。我就是一个普通人，我也会有情绪，有时候也会生宫总的气……”

陈秘书说：“那些人格既然是由少爷分裂而出的，也就是他的一部分。我们普通人也会有不同的面目，少爷只是更严重的分离。所以，那些人格对你的好，就是少爷在对你好。当他不好的时候，你就想想那些好，多给他一些体谅和包容，不要因为他的敏感偏执而退缩。你对轻音和西凡割舍不下，其实就是割舍不下少爷。”

舒雅南哑口无言。

她竟然无法反驳陈秘书说的话。

思索了好一阵后，她说：“所以，每个人格其实都是宫总，只是他不同的表现形式？我不能把他们看成不同的人？”

“对，如果每个他能够互相理解互相包容，到最后意识相通，就能形成完整的健康的宫垣。”

“我明白了。”舒雅南释然一笑，“谢谢你，陈秘书。”她这段时间对于宫垣人格对立的挣扎，突然清晰明了了。

舒雅南转身走入病房。陈秘书看着她的背影，长舒一口气。为了给难应付的少爷刷好感度，他也是拼了，好在这丫头心地善良，对其他人格都有好感。

病房内，舒雅南看着躺在病床上沉睡的宫垣，他的额头和脸颊都被贴上了纱布。即使在昏睡中，他依然眉头紧皱，像是陷入了什么困境。

舒雅南坐在床头，握住宫垣的手，对沉睡的他轻声道：“Anger，欢迎你随时来找我。”

她忽而一笑：“对了，我还要陪你一起把臭脾气的宫垣吃成大胖子！”

• • •

Chapter 16 缠绵

他的孤独、他的痛苦、他的渴求、

他的欲望，她统统感受到了……

这个男人带着一腔孤勇，

将他的血肉和灵魂，

都揉碎在她身体里。

宫垣醒来后，揉了揉吃痛的额头，四下里张望，似在寻找什么。

映入眼帘的是陈秘书的身影，他微笑道："舒小姐不在这里。"

宫垣愣怔，脸上有瞬间的恍惚和失落，以往每次从昏睡中醒来，他都会看到她……

宫垣的表情很快转为薄怒，冷冷道："不在就对了。我说了，不想再看到她。"

宫垣询问之前发生的事情，陈秘书简单交代："你参加晚宴时变成了 Anger 跑出酒店。等我们找到时，Anger 正在街边跟人打架，受伤了……"

宫垣静默片刻后，问道："就他一个人？没去找舒雅南？"

"我们只看到他一个人……"陈秘书观察着宫垣的表情，发现他眉头皱了一下。

宫垣出院后，在自己的豪宅里接受特殊护理。身上的伤已经令他火冒三丈了。更让他上火的是，接下来几天，他都在闹肚子。又一次从厕所里出来后，他崩溃地吼道："这个该死的 Anger，现在都敢给我乱吃东西了！"

"对了，他好像在路边摊里跟人发生矛盾了。"陈秘书说，"少爷，还是吃点止泻药吧。"

"不吃药！……这浑球儿下次出现时给我盯紧点！"话刚说完，宫垣的肚子又开始疼了。他咒骂着，再次走入厕所。

陈秘书暗想，下次是得让舒雅南注意点，少爷不仅对海鲜过敏，肠胃也不太好，不要带他去吃路边摊和刺激性食物。

Anger 吃爽了，回头受苦的可是少爷啊。

《传奇》再度开拍，但是主演阵容有了巨大变化。原定男主角凌岩被撤换，导演不同意，理由是凌岩此前已经拍摄了部分戏，而且与剧组磨合得非常好，更何况他为了这部戏受过伤，现在换人太不合适了。他原本是想为凌岩站台，结果新世纪直接更换了导演。与此同时，女配角原定演出者雯靖，也被撤换了。

关于这件事，舒雅南与她的经纪人讨论过。那次她在停车场遭遇的追逐殴打，幕后黑手被查出与雯靖有关。但那几个人守口如瓶，只说是不满她在舞台上 PK 掉了他们的偶像，为了泄愤而为。被抓住的几个人供词一致，一口咬定是单纯的泄愤，他们没办法对雯靖直接发难。

就在这边咬牙切齿，打算以后找机会跟她算账时，雯靖突然消失了。新闻通告里再也没有她的名字，公众平台她的账号也消失了，网站里搜不到什么关于她的新闻。她就像凭空蒸发了一般，消失得无声无息。

有一群执着的粉丝在网络上呼喊着“女神你在哪里”，后来雯靖的经纪公司出面表态，雯靖已经息影，以后将安心相夫教子，希望大家默默祝福她。圈内人私下议论，正是事业上升期，退出才是见鬼了。但事实真相到底如何，始终扑朔迷离。

苏娜跟舒雅南分析道：“我觉得这事儿跟宫总有关。她对你下狠手，宫总不可能轻饶了她。也只有宫总这种级别的人物，能把一颗冉冉升起的新星像蚂蚁一样捏死。”

“既然结果都有了，推测过程也没什么意义。”舒雅南说，“我们不能对外有任何意向性的表示。”

如今《传奇》的阵容跟最初筹备时的计划有天壤之别。凌岩虽然被撤换，但顶上的男主角是老牌影帝江雅伦。女二号由电视剧一姐林晨曦担任。这两人比之凌岩和雯靖，又上了一个档次。

重新开机的第一次聚餐，众人相谈甚欢，气氛相当融洽。江雅伦在圈内是出了名好相处的，脾气好、性格好、宽厚待人，口碑与演技同样“爆棚”，是受人尊敬的影帝。舒雅南这次进组，与上一次的感觉截然不同。合作对象固然是一部分原因，但更重要的原因在于，她已经有了全面复苏、大红大紫的势头。谁都愿意结识这种有上升之势的艺人。

舒雅南被老戏骨江雅伦带领着，与他磨合得很好。没几天，剧组的一切工作步入正轨。大家合作愉快，相处其乐融融。

这天下午，正在拍摄一场室外戏时，片场周遭突然竖起一块块巨大的展板，五颜六色的展板密集地挨在一起，几乎形成一个包围圈。

那些花哨的展板上面的字体格外粗大格外显眼，众人忍不住依次读去。上面都是赞美丫丫 SAMA 的话，底下还有浅灰色的密密麻麻的签名。

就在大家围观那些令人眼花缭乱的展板时，西凡的身影出现在一个高处，他穿着黄绿色的毛绒连体衣，造型就像个大南瓜，手里拿着扩音器，挥舞着手臂高喊：“丫丫 SAMA 加油！”

下面一帮托举展板的人齐声喊道：“加油加油加油！”

正跟江雅伦对戏的舒雅南，冷不丁被吓了一跳。

西凡拿着扩音器高喊：“我们是？”

整齐划一的响亮回答：“护雅亲卫队！”

气势磅礴，震耳欲聋。

舒雅南嘴角抽搐着……又来了、又来了……

“我们的口号是？”

“为雅疯狂，展翅飞翔！”

“我们的目标是？”

“丫丫冬天的暖宝宝、夏天的小冰糕！”

“嗨一个！”

“耶——”此起彼伏的尖叫声响彻整个片场。

前一刻寂静的片场，瞬间比大舞台还热闹。周遭工作人员都在不停地笑。新导演是头一次遇到这情况，脸色瞬间黑如锅底。

江雅伦倒没什么不悦，对舒雅南笑道：“你的粉丝真热情。”

舒雅南尴尬地道：“哪里……”

“当红明星就是不一样。”

舒雅南更尴尬了：“哪里哪里！是他们不太懂事！”

已经有了充分经验的她，立马跑到导演跟前说：“导演，这是我粉丝后援会副会长，是个比较狂热的追星族。要么先换另一场戏拍，我把他拎到一边教育教育好吗？”

“去吧去吧。”导演连连挥手，锅底般黑的表情已经变得云淡风轻。

他不想得罪这个女演员。据说她背靠寰亚高层，这部电影的主创人员换了一拨又一拨，唯有她这个后来居上的女一号屹立不倒。得罪谁都不能得罪她啊。

舒雅南赶到人群外，只见西凡站在一个高高的扶梯上，他那瘦南瓜的造型让她目瞪口呆，哭笑不得。

西凡看到舒雅南，欢欣雀跃地跳下梯子，朝她扑去。舒雅南有个错觉，一个行走的大南瓜要袭击她。

舒雅南板着脸躲开，西凡扑了个空，热烈的表情顿时垮下来。

她拉着他往一旁走去。

走到一个无人的角落，他垂着头，绞着手，就像一个做错事的小孩子，哼哼唧唧道："丫丫SAMA不高兴吗？"

舒雅南瞅着这个委屈的大南瓜，扑哧一笑，上前一步，给了他一个大大的拥抱："西凡，好久不见！好想你呢！"

西凡的表情凌乱了，又激动又兴奋，手舞足蹈地说："真的吗真的吗？女神也会想我吗？我居然这么有存在感了！好开心好幸福！"

舒雅南轻轻地拍了一下他的脑袋，说道："不过以后不要再在片场做出高调行为了哦，这样会影响大家的工作。"

西凡撇着嘴说道："我只想让丫丫SAMA感受到粉丝们对你的喜爱！"说着，他双眼亮晶晶地看着舒雅南，激动地道，"丫丫SMMA真的好厉害！现在又有好多粉丝呢！我都没怎么宣传鼓动，我们后援会又多了好多人！"

她捏上他的脸，笑道："你呀，难道每次出来就是追星吗？"

西凡哼哼道："我可不是盲目的追星族！我就追丫丫SAMA！变心者杀无赦！"

舒雅南摘下他带南瓜蒂的帽子，笑着说："难得出来透个气，就没做些自己喜欢的事？"

西凡看着舒雅南："丫丫SAMA，你……"

舒雅南轻声道："我都知道了，你的真实身份……"

西凡脸色一变，转身就走。

"嘿，西凡，你怎么了？"舒雅南快步追上，拉住他。

西凡甩开她的手，低吼道："我讨厌宫垣！太讨厌他了！……他好过分！他怎么能让丫丫SAMA知道我的身份！"他喊着喊着，突然蹲下，将脑袋埋入膝盖里，哭了起来。

舒雅南吓到了，赶忙蹲下身哄着他："西凡乖，不哭啊，你怎么了？"

西凡抬起眼泪哗啦的脸，抽噎着说：“我在自己最喜欢最崇拜的人跟前暴露了……我不是一个正常人……我是寄生在别人身体里的怪物……丫丫 SAMA 知道了……会鄙视我嫌弃我……我讨厌这样的自己……我没资格再做丫丫 SAMA 的粉丝了……”

西凡胡乱地抹去脸上的泪水，说道：“丫丫 SAMA，以后我会在心里一直支持你，再见。”他站起，转身就走，因为止不住地抽泣，背影还在一颤一颤的。

舒雅南是第一次见到西凡伤心难过的样子，甚至是第一次看到他哭。他一直都是那么朝气蓬勃，阳光欢乐，她没想到他会有这么敏感的一面。

舒雅南快步跑上前，拉住了西凡。

她敲打着他的脑袋，斥道：“臭小子，刚刚是谁说变心者杀无赦啊！居然这么快就想变心了！你在心里支持我，我怎么知道！说不定哪天你就去喜欢其他明星了！”

“才不会！”西凡推开舒雅南，站直身，像是受到了莫大的羞辱，满脸愤怒之色，道，“你可以嫌弃我、鄙视我，但不能质疑我的真心！我这辈子只喜欢丫丫 SAMA 一个人！”

“谁说我嫌弃你鄙视你啦？”舒雅南轻戳他的额头，替他擦去脸上的泪水，“你可不是什么怪物，你就是西凡！我的头号粉丝西凡！快快乐乐的西凡！”

西凡咬着唇，晶莹闪亮的双眼又是期盼又是犹疑地看着她：“丫丫 SAMA……真的不嫌弃我吗？”

舒雅南环住他的脖颈，将他脑袋拉下，踮起脚，朝他的额头用力亲了一口，说：“我发誓，绝对没有。”

西凡愣了片刻后，猛地抱起舒雅南，兴奋得直转圈，欢天喜地叫道："丫丫SAMA亲我了！好开心好开心！丫丫SAMA知道了我的秘密，没有嫌弃我讨厌我！丫丫SAMA宇宙无敌超级好！！"

"好啦，我得去拍戏了哦。"舒雅南从他怀里跳下地。

前一刻情绪沮丧低迷的西凡，瞬间露出梨花带雨的灿烂大笑，连连点头："嗯嗯，去吧，我们亲卫队就在旁边守着丫丫SAMA！"

"别。你让那些人散了，然后去酒店等我。"舒雅南把自己的房间号告诉西凡，一并把房卡交给了他，叮嘱道，"粉丝守则第一条，不能给偶像的工作制造麻烦。乖哦。"

"Yes（是）！"西凡做了一个标准的敬礼姿势。

舒雅南再次回到片场，众人笑着打趣，她的粉丝太有战斗力了。不过这一次，大家都相信是真正的粉丝，没人再私下议论这是她自导自演的。

一天的拍摄结束后，舒雅南连剧组的饭都没吃，直奔酒店。难得西凡出来一趟，她想带他出去玩。

刚打开酒店套房的门，一阵香气飘然而至。舒雅南循着香味，来到餐厅的饭桌前，惊得目瞪口呆。各种各样的精致料理摆了满桌，中式炒菜、西式牛扒沙拉、日式手卷寿司等，多国风情，口味丰富，品种多样。

对了，她都忘了，西凡是美食小能手呢！

舒雅南举目四望："西凡？西凡？"

一个"大南瓜"从另一边墙后出现，滚啊滚地滚到了她脚下。舒雅南一愣。大南瓜站直身子，将舒雅南腾空抱起，原地打转，欢天喜地地喊道："丫丫终于回来了！"

"晕了，我要晕了……"这小青年的活力，舒雅南简直招架不住。

西凡放下她，拿起备好的礼炮，“砰砰砰”接连拉响，色彩缤纷的碎屑漫天散开。身材高大的男人穿着毛茸茸的南瓜装，站在漫天彩屑下，眼神亮晶晶的，冲她笑得一脸灿烂：“欢迎丫丫 SAMA 圆满收工回来！”

舒雅南情不自禁地笑起来，捏着西凡的脸蛋道：“你一定是宫垣身上最可爱的部分！”

怪不得那家伙那么冷硬那么不可爱，肯定是把这部分都给了西凡。

西凡瞪起眼，鼓着腮帮子不悦地道：“西凡就是西凡，不是宫垣啦！”

“对对对，我说错了。西凡就是西凡。”舒雅南从善如流地道。她已经知道，无论宫垣本人还是这些人格，都不喜欢跟其他的部分混为一谈。

她满脸期待地坐在餐桌前，说：“喏，我要好好尝尝，咱们西凡做出的宇宙无敌的美味。”

西凡马上由阴转晴，欢欢喜喜地坐在了舒雅南身旁。

在舒雅南的饮食安排里，晚餐是可有可无的，一般只象征性地吃些蔬菜水果，以免半夜饿肚子。但这次，面对西凡做出的一桌子色香味俱全的美食，她决定破例一把，放纵自己吃了个饱。

即使如此，还是太多了，舒雅南叮嘱道：“就我们两个人吃，下次别弄这么多了，很浪费呢。”

西凡说：“我要好好表现，挽回自己的形象，不能让丫丫 SAMA 嫌弃我！”如果不是时间不够，他恨不得把所有会做的食物都来一遍。

“谁说我嫌弃你了！”奇怪了，明明是最开朗的西凡，怎么对这事儿反而最介意。舒雅南笑道，“其他几个人可没像你这样，说什么会被嫌弃的话。”

西凡轻哼一声："他们要么不喜欢丫丫SAMA，要么是在装！"

饭毕，西凡抱着舒雅南的胳膊，一脸哀怨地蹭着她："丫丫SAMA参加比赛时，我都不在……那么重要的时刻，我居然缺席了，好遗憾好伤心好难过！"

"那今晚我陪你一起看比赛视频！"舒雅南笑道。

舒雅南去洗了个澡，卸下演戏的浓妆，素面朝天，换上舒适的真丝睡衣。她瞧着西凡那身滑稽的南瓜装，给他翻出酒店配备的男式睡衣，把他推到卫生间里："你也洗个澡。"

舒雅南躺在沙发上，舒舒服服地做了个补水面膜。

西凡出来后，她坐起身，揭掉面膜，看向他的眼神有点恍惚。

西凡每次出现都打扮得像个学生，而且是明媚洋气的学院风，给她的感觉就是个邻家小弟。可眼下，站在她跟前的他，穿着男士真丝睡袍，柔滑的质地在他身上透着慵懒的性感，敞开的衣襟里露出一部分结实的胸肌，再往下是线条分明的人鱼线……

这是宫垣的身体，成熟性感的男人身体，浑身散发着荷尔蒙的味道。

西凡走到舒雅南身旁坐下。舒雅南不自在地往一旁挪了挪。突然间，她就有了男女之别的念头，因为他散发出的男人气息太过浓烈。即使笑容稚真，也挡不住男人味。

舒雅南打开液晶电视，找到了《天籁之音》总决赛的回放。西凡端过来红酒，给自己和舒雅南分别倒上一杯。

"等等，我要看这个！"西凡瞧见那一栏里有舒雅南个人比赛曲目集锦，马上说。

"你不看决赛？"

“先看丫丫SAMA专场！”

西凡坐在沙发上，抱着抱枕，聚精会神地看节目。舒雅南靠在一旁，一边品着红酒，一边翻看剧本。比赛期间为了获得最佳表现，分析自身优势劣势，她把自己的演出不知道看了多少遍，如今实在提不起兴致再多看一眼。

个人集锦看完后，西凡开始看总决赛专场。不过，这回他没有了刚才的全神贯注，画面里没有自己的偶像时，他就左顾右盼，时而瞧瞧舒雅南手里的剧本。

舒雅南疲倦地打了个哈欠，脸颊染上两团酡红。西凡赶忙坐直身子，挨近她，拍着自己的双腿说：“丫丫SAMA，靠在我腿上休息。”

“不用，我不困。”舒雅南笑着摆摆手。她怎么着也得陪小粉丝把节目看完。

“丫丫SAMA，我想为你做点什么……”西凡眼巴巴地看着她，央求道，“你就满足满足我，好不好吗？”

在他迫切期盼的眼神下，她只得倒在他腿上。

西凡脸色微红，兴奋又紧张，四下摸手机，说道：“我得拍下来！偶像在我腿上睡觉！……其他人会羡慕死我的！嗷嗷嗷，我是全世界最幸福的粉丝！”

就是个可爱的大男孩嘛，舒雅南笑着想。劳累了一整天，疲倦让困意很快袭来，不知不觉间，她就在他腿上睡过去了。

夜色深沉，西凡渐渐也困了，歪下身体，陷入梦乡。

两人在沙发上随意地睡成一团……

宫垣意识苏醒时，臂弯里有种重量，一股淡淡的清香飘入鼻端，还有那种格外眷恋的气息……他下意识地转过脸，探向那气息来源。

舒雅南沉静的睡颜进入视线，宫垣目光一沉，定格在她脸上。

他缓缓地伸出手，轻轻地抚摸她的脸庞。不想承认，却不得不承认，他很想她……这段时间刻意远离，只是在心中累加了思念的分量。

此时看着她，胸臆间充盈的满足，令他觉得努力活着也不是坏事。至少，还能看到她。

宫垣缓缓地靠近舒雅南，双唇印上了她的唇瓣。

越克制，越想要。

终究还是抵不过心中的渴求……

因为它破碎，它伤痕累累，它更渴望爱，更需要爱。

“唔……”舒雅南在窒息感中醒过来，睁开眼，看到了俯在她上方的宫垣。

她一惊，蓦地推开他：“你、你干什么？”

两人四目相对，宫垣仿佛由迷梦中惊醒，脸上带着被打断的不满，空气里还弥漫着旖旎的味道。

舒雅南惊魂未定地看着他，这个眼神太陌生……

不是西凡的天真无瑕，像宫垣的霸道却又有轻音的火热……

他在她惊愕的目光中，低下头，再次吻上了她的唇。她阻挡的双手被他按住。

他强势又温柔，不管不顾，将她的挣扎尽数压下，一步步攻城略地。她渐渐失去了抵抗的力量，在他的疯狂中沦陷……

他像发狂的野兽，拼命地反复地占有。她承受着他带来的狂风暴雨……他的孤独、他的痛苦、他的渴求、他的欲望，她统统感受到了……这个男人带着一腔孤勇，将他的血肉和灵魂，都揉碎在她身体里。

湿润的双眼闭上，她伸出双臂环住他，两颗跳动的心紧贴在一起。

事后，宫垣把舒雅南抱去里面的卧室，躺在她身边。两人这么躺着，意乱情迷退去，舒雅南后知后觉地尴尬了。

她拉过被子，将自己的身体盖住。

意乱情迷，只是一时意乱情迷。大家都是成年人，他又是那么性感的男人，意乱情迷很正常。

舒雅南不断地给自己做心理建设，宫垣看她，她立马转过身，背对着他。

“别装睡。”宫垣开口道，显然不打算让她做鸵鸟。

宫垣扳过舒雅南的身体，俯在她身上，看着她的眼睛说：“舒雅南，是你先违约的。”

舒雅南心里咯噔一下，说道：“我没有……”

他紧盯着她，哑声道：“在我出现之前是谁，你们在干什么？为什么睡在一起？”

他的眼神太有杀伤力，舒雅南赶紧解释道：“西凡突然出现在片场，我收工后回来，陪他一起看电视，看着看着就睡着了……”

“我警告过你，不要再出现在我眼前，不要再跟其他人格有任何瓜葛。”

“我没有，这是他来找……”

“我给过你离开的机会，是你自己不要。”宫垣打断舒雅南的话，目光坚定地看着她，“舒雅南，你没有退路了。”

“什么意思？”

“你只能选择我。”

舒雅南咬着唇，没有作声。

宫垣不可爱！实在太不可爱了！

可……偏偏她就跟他纠缠在一起了。

他的每个部分，都跟她有着剪不断的羁绊……

或许，在很久很久以前，在那段她已经模糊的记忆里，他们的人生就有了交集。

舒雅南双手环上宫垣的后背，指甲顺着他的背脊轻轻下滑，他身体一个痉挛，她不禁笑了起来。这家伙心思敏感，身体也很敏感呢。

那嘴角的笑意惹恼了宫垣，他惩罚般咬上她的唇，索取，掠夺……

热吻过后，舒雅南喘息着问：“那次是你吧……在我家那次，你扮成轻音，占我便宜……还有在树林里那次，不是Anger，也是你……你这坏家伙，敢做不敢当……”

宫垣脸上有一丝狼狈的尴尬，但很快压下去，理所当然道：“不是敢做不敢当，只是给你留退路……我给过你机会，让你远离我。”

舒雅南不想进行这么严肃的话题，故意问道：“你以前有没有过女人？”

“没有。”

“你不是有过女朋友吗……为什么没有……”

“不想。”他的回答依然简洁。

“为什么不想？”她充分发挥了八卦精神，继续问道，“难道你以前二十多年就从来没想过……唔……”

他堵住她的嘴巴，用实际行动回应了她的问题。

第二天醒来时，已经日上三竿。舒雅南睁开迷糊的双眼，发现自己趴在宫垣的大腿上。一瞬间的惊吓，令她很快回过神，脑海里迅速回想起昨晚发生的一切。

西凡变身宫垣，强吻她……她没控制住自己的本能反应，稀里糊涂地从了……到后来她都分不清今夕何夕。

舒雅南抬起头，怯怯地往上看。宫垣靠在床头，身上披着睡袍，手里拿着一份文件，正在翻阅。他的表情那么认真，认真到严肃，透着一股浓浓的禁欲气息。

他严谨的气场，跟那慵懒的睡袍和露出的腹肌太“违和”了，跟昨晚那个豺狼虎豹南辕北辙……

但是，这个男人真好看啊，无可挑剔的脸，无可挑剔的身材……她一定是被他的男色蛊惑了。

宫垣低下头，两人的目光对上，舒雅南触电般弹坐起身，发现自己不着寸缕，脸上瞬间烧红了。她手忙脚乱地拉着被单，包裹住自己。

宫垣扯动嘴角：“昨晚都看遍了。”

舒雅南瞪他一眼，从地上捡起自己的睡袍，蒙在被子里穿好。她感觉腰酸背痛。她跟凌岩分手近一年，清心寡欲的生活过惯了，突然这么猛烈，真有点吃不消。

她忍着不适，看都没看宫垣，狼狈地冲出房外。谁知道，陈秘书就站在外面。他对她点头微笑。舒雅南脸更红了，有种被捉奸在床的尴尬。

“早上好。”打完招呼，她冲进浴室，梳洗打扮。

片刻后，收拾完毕的舒雅南走出浴室。宫垣已经坐在了餐桌前，桌上摆着各式各样的早茶点心。宫垣说：“吃了早餐再走。”

舒雅南坐在餐桌前，拿起一块三明治，默默地啃着。她开动后，他方才拿起勺子开始喝粥。餐桌旁还站着一个人，普通话字正腔圆，读着寰亚集团一周简讯。

舒雅南将三明治啃完，正要起身，宫垣将一杯牛奶推到了她跟前。她瞧了他一眼，俊美的脸上还是波澜不惊。

吃完早餐后，陈秘书主动提出送舒雅南去片场，宫垣点了一下头。

车上，陈秘书笑着对舒雅南道：“小舒，谢谢你的选择。”

他还记得，赶到酒店房间时，宫垣带着睡意走出来。虽然在他递上文件后，他的眼神迅速恢复清明，但那神情里的平和是以前从没有过的。他身上那股无形的阴郁和戾气，在今天早上奇迹般消失殆尽。

他大致翻了一下文件，说：“她还没醒，我去房间里看，你就在这儿等着吧。”

他起身走入室内，他看到他坐到床上，靠近她。接着他又将她的身体扶了一下，让她趴在自己身上。他一只手在她发间穿梭，一只手拿着文件，时而抽出手签字，转而又继续抚摸她。

他的表情是他从未见过的平和。当他看向她时，她脸上的温柔和暖意，让他几乎以为自己眼花了。

当然，眼前的画面并不是幻觉。他的判断没有错，少爷是真的钟情这个女人。而且，这次他如愿以偿了。他很自觉地关上房门，在外等候。

“就算无法融合各人格，只要你一直陪在他身边就很好了。”车内，陈秘书由衷地道。

今天的少爷，脸上写着幸福，他看在眼里，心酸得想哭。

舒雅南不知所措：“陈秘书……其实……我们……”

她还没有想好要不要跟宫垣在一起……感情是一个沉重的话题，无论是对受过情伤的她，还是对人格分裂的他。

“小舒，请你一定要好好对少爷。他不能再承受更多的伤害了。”

舒雅南调侃道：“陈秘书，你都快成他亲爹了。”

她能感觉出，陈秘书是真的很关心宫垣，就像是家人那般关怀，不仅是下属对上司的尽职尽责。

陈秘书闻言一笑："我跟在少爷身边很多年了。"

所以，他明白他过的有多苦。普通人享有的天伦之乐，温暖的家人，亲密的爱人，知心的好友，看似高高在上拥有一切的宫垣却统统没有。他甚至没有完整的自我，人生在无止境的阴霾和混乱中挣扎度过。

舒雅南下车时，陈秘书郑重地说："拯救少爷分裂的灵魂，是一条漫长又艰辛的道路，但无论如何，请你不要放弃。少爷他不该那么孤独，他值得拥有爱。"

舒雅南不知道说什么好，陈秘书寄予厚望的眼神，让她心里很酸很涩。

Chapter 17 情动

如果有安然入睡的那一天，

一定是因为，你在我身边。

舒雅南到了片场，进化妆间换上戏服旗袍，脖子上无法遮挡的痕迹令她红了脸。无奈，她用一层又一层粉底掩盖，好歹是看不出来了。

上午的戏拍完，剧组分盒饭，几个主演有专门加餐。舒雅南胃口不太好，昨晚没睡够，一直犯困。随便吃了几口后，她回到保姆车上休息。不趁着中午补觉，下午拍戏就怕状态不好。跟老戏骨江雅伦对戏，成长很快，压力也很大，她不想做拖后腿的人。

舒雅南仰靠在座椅上小寐时，车门被推开了。

她还没睡着，但眼睛上戴着眼罩，猜测是工作人员，因此没有取下来，继续睡着。

来人坐到了她身旁，一股清冽的男士气息飘入鼻端……经过昨晚，她对这个味道很敏感。

舒雅南身体有一瞬间的僵硬，抬手取下眼罩，表情不太自然。

“你怎么来了？”

“来看看你。”

舒雅南的视线不知道该往哪儿放，飘去了窗外。半晌，她一回头，发现宫垣还在看着她，没来由地脸颊发热。

宫垣开口道：“你继续睡。”

“那你也去忙。”她拿起眼罩，重新戴上，正要酝酿情绪，耳边传来声音，“我不忙，再待一会儿。”

平平淡淡的声音，却跟以往夹着冰的凛冽不一样，似经微风吹拂又落满阳光，染上了微微的暖意。

舒雅南抿了抿唇，没吭声。

寂静中，她能听到他的呼吸声，还有缭绕周身的男性气息……舒雅南在心中默念《金刚经》，逼自己心无杂念地入睡。

不知道过了多久，她以为自己都快睡着了，却又清晰感觉到男人的手臂绕过她的肩膀，将她轻轻地往前带，她的双腿被抬起来，然后，整个人腾空平移，坐在了男人腿上。

舒雅南惊呆了。

宫总，你趁我睡着了这么做真的大丈夫？你以为你动作很轻我就不会察觉到？你以为这样就能软玉温香抱满怀？

是的，你能。

舒雅南不知该作何反应，抱着满肚子腹诽，继续装睡。

宫垣将舒雅南抱在怀中，一只手搂着她的肩，一只手轻轻地抚摸她的发丝。他低下头，轻轻地嗅着她的发香。

舒雅南靠在宫垣胸膛上，装死到底。

但是，他的小动作不断……时而撩头发，时而刮脸颊，时而捏手心，炽热的呼吸近在咫尺……舒雅南心里的一湖春水被吹皱，泛起涟漪阵阵。

明明忍得很辛苦，却又莫名地带着点甜……

宫垣直到这时候才体会到相对论的科学意义，半个小时像是半分钟，没一会儿，车门就被推开了。舒雅南的助理站在车外，正要说话，看到车内的两人，愣了愣。

宫垣不想被打扰，眼神变得严厉。

一直等在外面的陈秘书关上车门，对助理温声解释道："小舒还在休息。"

"哦哦，休息……那我去跟导演说！"助理很识趣。当初被苏娜安排到舒雅南身边，她特地给她科普过舒雅南跟寰亚宫总的关系。当时她觉得不可思议，现在看来，真真正正就是在谈恋爱啊！

助理回到片场，对导演低声说："宫总过来了，舒姐正跟宫总在一起……"

导演“秒懂”，立马安排换戏。

舒雅南这一觉补得很舒坦，起初是忐忑不安，一直忍着装睡，心里跟猫抓似的。但是渐渐地，她也就睡着了。他身上的气息竟然令她莫名心安。

最近因为压力大而浅眠的她，这个午觉睡了有三个小时。

当她迷迷糊糊醒来，坐起身，拉下眼罩，一看表，整个人都不好了。

她慌里慌张地从宫垣身上下来，找手机给助理打电话，还不忘埋怨宫垣：“睡过头了，你怎么不叫醒我？”

宫垣语气淡淡地道：“你睡得很香，不想打扰你。”

舒雅南正想反击，宫垣又说：“能好好睡觉是种幸福。”

舒雅南心里有种细微的刺痛划过。他一直以来都没法好好睡觉吧？入睡前担心变成另一个人，睡梦中与痛苦做搏斗，醒来后又是漫漫长夜……

半年前的她也是这样，跟凌岩分手后，很长时间都没法好好睡觉，那段地狱般的日子是怎么熬过来的她不想回忆，庆幸的是她现在已经好了。除了工作需要，她能按时睡觉，好好睡觉。

舒雅南看着宫垣说：“你也会的。”说完，她推开车门下了车。

宫垣的目光久久定格在她的背影上。

如果有安然入睡那一天，一定是因为，你在我身边。

舒雅南重新补妆后，回到片场，不停地对导演道歉。导演自然是笑脸相对，她极为诚恳地道歉，使得工作人员心里隐隐压抑的不满都散去了。毕竟，这年头小生小花们一旦火起来了，都眼高于顶，像她这样低下头来道歉的实在很少。而且她平常在片场里都是兢兢业业的，不耍大牌也不找替身，积攒了粉丝心中的好感度。

舒雅南为了弥补午休耽误的时间，主动要求加戏，连续工作到晚上，晚饭都没顾上吃。助理送来晚饭时，她还在跟女配角对戏，舒雅南敷衍地吃了几口，再次投入到工作中。

晚上有场戏是她跟自己的小姐妹把酒谈天，两人看上了同一个男人，此番谈话为姐妹反目埋下了伏笔。宫垣过来的时候，正遇上舒雅南拍戏，他站在外围观看。

现场布置得古色古香，身穿淡雅旗袍的舒雅南，一颦一笑皆含风情，时光仿佛倒流回一百年前的旧上海，而她是风尘味十足的名伶。

宫垣站在场外，仿佛看着另一个女人，一个他不认识的人。这是宫垣第一次认真看舒雅南演戏，他发现他以前低估她了，她不是花瓶，她有演技。投资她不是一掷千金为红颜，而是一个正确的决策。

夜间的戏结束，舒雅南去化妆间卸妆。

她换了便装出来，陈秘书就在外面等着。舒雅南原本想尽快回酒店休息，剧组里的人相约去喝夜啤酒她给推了。可是，陈秘书带她去见宫垣时，鬼使神差地，她没有拒绝。

陈秘书拉开车门，舒雅南上了车。宫垣坐在驾驶位上，她坐在他旁边。

宫垣发动车子，说："去吃点东西。"

"吃夜宵会胖的！"舒雅南脱口而出。

"胖也没关系，健康第一。"

舒雅南扯唇一笑："女人瘦的时候，男人就说你多吃点，胖没关系，身体最重要，别饿着。等到她们当真了，吃多了变胖了，男人又会说，你跟以前不一样了，我对你没感觉了，我们早就没了爱情。"

宫垣沉默片刻，说："凌岩这么对你说过？"

舒雅南沉默更久，回道："你想多了，我只是说一种现象。不过我保持身材是为了在银幕上更好看，是作为艺人的自觉性，跟男人无关。"

刚说完，舒雅南的肚子"咕噜咕噜"叫了几声，中午才喝几口粥就赶着补觉，晚上忙着拍戏，晚餐才吃几片菜叶子，这会儿是真饿了。

不等宫垣开口嘲笑她，她破罐子破摔，主动道："好吧，今天是饿了，吃就吃。"

宫垣把车开到一家偏僻处的夜市摊前停下，舒雅南戴上口罩，与他一道下车。

两人选了一个人少的角落，老板递上菜单，舒雅南兴致勃勃地勾选了一堆烤串。宫垣坐在对面看她，看到她眼底的光亮，嘴角微扬。

今天下午，他把舒雅南以前参加过的访谈都看了一遍，其中有一段，主持人问她对另一半有什么想法，她说，如果他愿意陪我坐在街边喝啤酒吃烤串，我会很开心。

舒雅南选好后，把菜单递给宫垣："你自己看看，你要吃什么。"

宫垣看都没看，直接递给老板，说："她点的都来两份。"

"你真会偷懒。"舒雅南笑他。

"我相信你的选择。"

舒雅南抿住唇，笑意在眼底持续扩散。

没多久，老板把几大盘烧烤端上来，宫垣拿起一串脆骨，用筷子拨弄下来。舒雅南拿起一串羊肉串就要往嘴里送，见他这么斯文，动作停住了……

她作为女孩子，能在这位斯文俊秀的霸道总裁眼前，表演东北大老爷们儿的吃法吗？

舒雅南正犹豫，宫垣将装了两份脆骨的瓷盘递到她手边。

舒雅南心中一动，轻声道：“谢谢。”她放下肉串，用筷子夹起一块脆骨，送入口中。

在宫垣灼灼的目光下，她埋头吃东西，看似吃得专注，实则掩饰突如其来的心跳和羞怯。

宫垣拿起烤串直接吃，舒雅南抬眼看他，不由得失笑。如果是西凡或者 Anger 吃烤串，她不会觉得搞笑，但是宫大老板……这画风实在“违和”。

宫垣吃完一串，抽出纸巾擦嘴，他看到她笑得眉眼弯弯，问她：“你笑什么？”

“没想到霸道总裁也撸串，太接地气了。”舒雅南笑着说。

“第一次。”宫垣看着她，满含深情，“你喜欢的话，我可以一直陪你吃。”

舒雅南的心跳又快了几拍，她垂下眸子，目光恰好落到宫垣上下滚动的喉结上，心跳更快，脸颊也热了几分。她迅速把目光移到桌上的食物上，分散注意力，调侃道：“一直吃，真要吃成大胖子了。”

宫垣眉头一皱，正要说话，舒雅南像是想到什么，突然抬起头，紧张地看着他说：“我都忘了，你肠胃不好，不能吃烧烤吧？”

“可以吃。”

“可是上次你食物过敏进医院了。”

“那是因为海鲜……”宫垣话语顿了一下，问道，“你怎么知道？”

舒雅南摸摸鼻子，她当时特意拜托陈秘书不要提到她，现在可不能不打自招。她苦笑着敷衍道：“是陈秘书告诉我的。他要是知道我带你来吃烧烤，准该骂人了……”

“是我带你来吃，不是你带我。”宫垣强调。

舒雅南在心里翻白眼，果真是总裁作风，主导关系都要拎得清清楚楚。

“你放心，我能吃。”为了证明这一点，宫垣又拿起一串。

“好吧，但是海鲜你千万不能碰。”舒雅南再三叮嘱。

除了海鲜，舒雅南吃什么，宫垣吃什么。

宫垣的饮食素来清淡，基本是纯天然原生态，这是他有生第一次进行如此残酷的自我挑战。他一抬眼，看到舒雅南吃得正欢，调整着脸部表情，一丝崩溃的细节都没有流露出来。辣得快要飙泪的他，趁着舒雅南仰头喝啤酒时，迅速低头拭去眼眶的湿润。

宫大总裁忍功了得，定力强大，舒雅南完全没看出他的煎熬和强撑。

舒雅南这一顿吃得很满足，尤其中餐和晚餐都没怎么吃东西，晚上来这么一顿最爱的烧烤配啤酒，人生都被照亮了。

“如果有冰激凌就更好了，简直绝配！”舒雅南赞叹。

从桌前起身时，她身心舒畅，脸上的笑容没停过，对宫垣是怎么看怎么顺眼。

舒雅南说：“这里距离酒店不是很远，吃得这么饱，又喝了点酒，我想散步回去。”

“好。”宫垣打电话叫司机把车开走，陪舒雅南走路。

两人漫步在街边，舒雅南心情愉悦，脚步轻快。宫垣表情一贯内敛，但眼角眉梢在舒展。看到她开心，他就很开心，很奇怪又很舒服的感觉。

舒雅南穿着高跟鞋，脚步有些虚浮，宫垣适时扶住她，在她跟前蹲下：“我背你。”

舒雅南还没反应过来，他便将她背了起来。

舒雅南趴在宫垣背上，心中涌动着丝丝缕缕的异样感觉，心跳很乱……

“你要是累了就放我下来……”舒雅南耳根微红，低声道，“刚刚吃那么多，铁定胖三斤，可沉了。”

宫垣嘴角微扬：“不累，也不沉。”

他的人生一直在负重前行，那些负担他无时无刻不想摆脱。这是第一次，他背着一个女人，还想要承载她的全部。

如果可以，他宁愿背一辈子。

接近酒店时，舒雅南从宫垣背上下来，重新戴上口罩。

宫垣陪着她走到房间门口。

“今晚吃得很开心，谢谢你。”舒雅南由衷道谢。

“喜欢的话，就不要委屈自己。”宫垣看着她，很认真地说，“我不在乎你胖不胖，是不是好看。”

“那你在乎什么？”舒雅南问。

“比你身材好的，比你貌美的女人有很多，但她们都不是你，无法取代你。”宫垣表情认真地说道。

如果这话由别人嘴里说出来，舒雅南只会觉得可笑。但他不一样，他是宫垣，寰亚集团继承人，年轻英俊多金的顶级高富帅。他要找到各方面强于她的女人，易如反掌。

舒雅南心中的不屑消失了，因为他突如其来的表白，因为他郑重其事的眼神。

“舒雅南，我喜欢你开心的样子。”

舒雅南靠在门上，宫垣单手撑着门侧，一个低头，一个抬头，目光交缠在一起。

他缓缓地低下头，两人距离越来越近，直到呼吸吹拂在皮肤上。她犹如被下了定身咒，无法抗拒，疯狂跳动的心好像不是自己的。

他贴上她的唇，将她往怀中搂紧。她抬起手，环上他的脖颈。

两人唇瓣相贴，缠绵索取，遵循灵魂的渴求。

狂热的吻由宫垣先结束，舒雅南双腿发软，喘着气，从包里掏出房卡，开门。

进了房，她发现宫垣还在外面站着。

他眼里燃着火，却没有迈入半步，笑道："晚安，好好休息。"

宫垣转身离去，舒雅南关上门。身体和皮肤还在燃烧，带着他残留的热度，心里却骤然空落了下来。

她以为他会想……

舒雅南抓了抓头发，烦躁地去洗澡。

这节奏不对啊！

深夜，宫垣坐在马桶上，一脸生无可恋……

他肠胃不好，吃路边摊的烧烤，腹泻是必然结果。吃的时候他就知道，但是，为了她高兴，他不仅吃，还吃了不少。果然，在他和舒雅南接吻的时候，他的小腹就有了坠痛感。

他怎么能在喜欢的女人眼前冲进厕所拉肚子？更不可能在激情火热的时候，突然中断去上厕所……

于是，他在腹痛时果断撤了。

宫垣第五次去卫生间时，实在扛不住，通知酒店工作人员给他送药。

等到终于安稳地躺在床上，宫垣长舒一口气。为什么她会有这种奇怪的癖好，如果她以后常常想吃怎么办？他还能陪吗？

能，当然能！

几乎是瞬间，他的心给出了答案。

想到她吃东西的模样，宫垣不禁笑了笑，他拿出手机，找到舒雅南的号码，给她拨过去。

铃声响了半天，舒雅南迷迷糊糊的声音传来："喂？……谁啊？"带着不耐烦的语气。大半夜的打电话，谈人生是有病，谈工作也太不会找时候了。

"睡着了？"宫垣问。

舒雅南听到宫垣的声音，顿时从迷糊中清醒过来："嗯，怎么了？"

"没事，你继续睡。"宫垣挂了电话才发现时间是凌晨。

舒雅南听着嘟嘟的忙音，换作平常她得火大到爆炸了，半夜把人吵醒，玩弄人呢？但这是宫垣，她不仅没有火气，反而莫名担心。舒雅南又把电话回拨过去。

"真没什么事吗？"她问。

"有。"宫垣低低的声音从听筒里传来。

舒雅南心里一紧，果然！

"怎么了？不舒服？"舒雅南的大脑开始高速运转，"是肚子疼吗？叫你不要吃烧烤的……是不是头疼？有没有药？不行的话赶紧叫陈秘书……"

"不是。"宫垣声音低低的缓缓的，带着独有的温柔，"都不是。"

"那你有什么事啊？"

"想你。"

舒雅南一时语塞，脸上的红晕一路蔓延到耳根。

"一直在想你，就给你打电话了。"宫垣实话实说。

舒雅南心脏怦怦乱跳，轻轻咬住弯起的唇，低斥道："大半夜的不好好睡觉，学人家撩什么妹！"

"撩妹？"宫垣诧异地问。

“不懂自行百度。睡了。”舒雅南挂掉电话，钻进被子里。

她不是二十岁出头的小女生啊，为什么还会对甜言蜜语有反应？！

现在的她，不会也不能像当初那样，有感觉就不顾一切在一起，轰轰烈烈投入所有。她会思考，会犹豫，会抉择，会逼自己冷静思考未来。

她知道，宫垣并不是合适的人选，且不说他自身的问题，两人身份也相差巨大……

可是为什么，她一次又一次因为他心跳加速，而且完全控制不住！

宫垣在影视城连续待了几天。陈秘书算是见识了，一直堪称劳模的宫总也会有耽于女色无心工作的时候。他会在签批文件时发呆，他会把有关舒雅南的新闻搜集起来仔细看，他能什么都不干陪她睡午觉睡几个小时，他能推掉重要会议不紧不慢地陪她吃饭。

这样的宫总实在是……

太有意思了！太像个正常人了！

相比他一贯冷静漠然的脸，陈秘书更希望看到他现在柔和的脸部线条和充满希望的眼神。是的，他看着舒雅南的时候，眼里有光，不再像以前那样黑沉沉的一片死寂。

不过宫垣不是普通人，他身上背负着寰亚集团的未来，他再沉溺于感情也不能过分任性。有一场重要的股东大会等着他，他必须走了。

走之前，宫垣安排人空运过来一台冰柜，里面是各大品牌的冰激凌。他带着冰柜前来片场找舒雅南。

舒雅南的戏刚结束，正坐在躺椅上休息，就见助理小跑着过来，还没靠近就叫起来：“南姐，宫总来了！”

这一声叫嚷响起，周围人的目光都投了过来。

舒雅南微微蹙眉。关于她有靠山的传闻，在圈内都传遍了，这次拍戏偏偏又出岔子，宫垣屡次出现，大家看她的眼神显得更加微妙。

虽然她跟宫垣有说不清道不明的关系，但她不想让大家说她靠着不光彩的关系上位。舒雅南丢给助理一个不悦的眼神，起身去见宫垣。

她得跟他谈谈，以后不要总来剧组找她。她只想好好拍戏，不想花边新闻缠身。

宫垣身穿黑衣，身形挺拔，远远看去格外赏心悦目。舒雅南在走近他的时候，心里那点不悦全被看到他的愉悦冲散了。

等到走得近了，她才看到，一旁的工作人员推着冰柜。她好奇地看了一眼，里面有各种口味的哈根达斯，还有一些她不知道品牌的手工冰激凌。

舒雅南愣了愣，转头看向宫垣，问道：“这是……”

“冰激凌。”

废话！

“你不是想吃冰激凌吗？”

舒雅南：“有吗？”

“昨晚说的。”宫垣提醒她。

好像……是在吃烧烤的时候感慨了一句……

可是就那时候啊！而且想吃也吃不了这么多啊！舒雅南不知道是该吐槽还是该感动。

心里涌动的温热细流被她压下，她故作嫌弃地道：“你这是存心想把我喂胖？”

“别总想着胖不胖的。”宫垣的手碰上她的胳膊，冰凉的触感令他皱起眉，将西装外套脱下来披在她身上。

舒雅南原本穿一件单薄的旗袍并不觉得冷，可突然被他的气息包裹，强烈又温暖，难以形容的安全感裹着暖意袭来，整个人由外至内连同心脏都被焐热了。

她将外套拢紧，抿住微笑的唇，表情含羞带怯。

宫垣说：“我今天就走。有什么需要，随时联系我。”

“哦……”舒雅南应了一声，连她自己都没意识到声音里染上的低落。

她垂下眼睫，看着地面，身体突然落入宫垣的怀抱。

舒雅南挣扎了两下，轻声抗议道：“公共场合……”

宫垣将她抱得更紧，低头在她耳边道：“忙完了来找你。”

“别来找我，耽误你自己的工作也耽误我的工作！”舒雅南轻声道，看似不满，心里却酿出了蜜意。

陈秘书在一旁候着，时不时看下表，最后不得不煞风景地提醒道：“少爷，时间差不多了。”

宫垣松开舒雅南，眼里流露出不舍：“我走了。”

舒雅南：“嗯。再见。”

宫垣见舒雅南那么干脆，心里有点不爽，可又没处发作，只得闷闷不乐地离去。

舒雅南目送宫垣的背影，心中生出了一股淡淡的失落。

看到宫垣上车，她正要转身离去，车门突然被推开了。

宫垣下车，一步一步向她走来。他大长腿迈得很慢，像是在极力克制着什么。走得近了，舒雅南看到他眼里的火焰，嫉妒、憎恨、疯狂，种种极端的情绪混杂在那黑色眼眸里……

宫垣逼近时，舒雅南往后退了一步，他伸手抓住她的手腕。

他紧紧地攥住她的手，盯着她的眼睛，嘴唇在发颤，质问她："为什么是他？！"

"你……你是……"一个名字在心中呼之欲出。

"为什么？我为你而生，你却背叛我！"他加大手劲，舒雅南觉得自己的手腕快要被捏碎了，可是男人的眼神更痛，那眼中黑洞洞的流着看不见的血。

他声音嘶哑着，一字一句地逼问道："为什么跟他在一起？为什么选择宫垣？"

舒雅南心中疼痛，叫出了那个名字："轻音……"

他的眼神在那一瞬间变得柔软了："是啊，我是轻音……你的轻音……"他陡然又变得狠厉，"为什么要抛弃我？为什么选择他？"

（未完待续）

《征服六个你》结局篇预告：

宫垣重新夺得身体的主动权，却发现自己与舒雅南之间还存在着隔阂。

他的霸道与自负，令她不堪其扰。

宫垣一边学着和舒雅南恋爱，一边对其他人格同舒雅南的示好横生醋意。

当舒雅南面临危险，轻音又一次出现，目睹了舒雅南对宫垣的偏袒，他誓要毁灭宫垣……

5月上市，敬请期待！